COLLECTION POCHE

ECN

TABLEAUX

ECN

Collection dirigée par L. LE

HEPATO-GASTRO
ENTEROLOGIE
CHIRURGIE DIGESTIVE

Pauline GUEUDRY
Mike PERSIGANT

Editions Vernazobres-Grego
99 bd de l'Hôpital
75013 PARIS - Tél. : 01 44 24 13 61
www.vg-editions.com

Mai 2013 - ISBN : 978-2-8183-0901-8

Sommaire général

HEPATITES VIRALES

- **Argument de fréquence**
- **Y penser devant toutes anomalies des transaminases ou devant un ictère**
- **Sérologies de toutes les hépatites + bilan des autres IST**
- **PBH si hépatite chronique +++ sauf hépatite C**
- **NPO la contraception dans le TTT des formes chroniques**
- **Prévention = lutte contre le péril fécal, les conduites à risques et vaccination**
- **Dépistage = co-infections, autres hépatopathies, complications de la cirrhose et CHC +++**

GENERALITES

- Inflammation du parenchyme hépatique 2nd à une infection virale
- 5 virus hépatotropes (A, B, C, D, E) + les virus du groupe herpès (plus rare)
- 2 formes cliniques :
  - Aiguë = toutes les hépatites
  - Chronique = uniquement B et C
- 4 phases dans l'histoire naturelle :
  - 1) Contamination
  - 2) Incubation
  - 3) Phase pré ictérique et ictérique
  - 4) Guérison ou chronicité

Hépatites Aiguës	Hépatites Chroniques
• Asymptomatique le plus souvent • <u>Clinique :</u> - Phase pré ictérique : ▪ Syndrome pseudo grippal ▪ Douleurs abdominales +/- vomissements ▪ Eruption urticarienne - Phase ictérique : ▪ Ictère ▪ Urines foncées et selles décolorées ▪ HPM +/- douloureuse - Manifestations extra hépatiques possibles • <u>Paraclinique :</u> - Cytolyse > 10N (ALAT>ASAT), cholestase - TP et fact V → pour les signes de gravité - Echographie hépatique normale - Pas d'indication à la PBH • <u>Complications :</u> - Chronicité - Hépatite fulminante +++	• Asymptomatique +++ • <u>Clinique :</u> - Symptômes aspécifiques type asthénie, HPM - Parfois, signe de cirrhose et extra hépatique • <u>Paraclinique :</u> - Cytolyse < 10N (ALAT>ASAT), cholestase - Hypergammaglobulinémie polyclonale - Echographie hépatique : ▪ Normale ▪ Signes de cirrhose - PBH +++ (sauf hépatite C selon critères) → Score de Métavir • <u>Traitement</u> : (cf. en bas) - But = Inhiber la réplication virale (objectif HAS) ▪ Réponse biochimique = normalisation des transaminases ▪ Réponse virologique = CV négative ▪ Réponse histologique = stabilisation ou

• Traitement : - Aspécifique - Repos - Arrêt alcool et hépatotoxique - Vaccination hépatite A et B - Enquête familiale	diminution de la fibrose et de l'activité histo ▪ Améliorer la qualité de vie ▪ Prévention de la cirrhose et du CHC - Mesures associées systématiques +++ : ▪ Prise en charge du/des partenaire(s) ▪ Contraception efficace ▪ Rapports protégés ▪ Information et éducation sur les IST ▪ Arrêt hépatotoxiques et alcool ▪ Vaccination hépatite A et B ▪ Pec 100 %

- Grossesse + hépatites chroniques :
  - Pas d'interactions maladie/grossesse :
    - Pas de risques de malformations, FCS, RCIU, MFIU
    - Pas de risques d'augmenter l'activité de la maladie
  - Transmission ≈ 5% (par contamination lors de l'accouchement ; trans-placentaire rare)
  - TTT tératogène → CI à la grossesse pendant le TTT = Contraception efficace
  - Pas de CI à l'allaitement +++

HEPATITE A

- Virus à ARN
- Contamination oro-fécale directe ou indirecte
- Pas de chronicité → guérison 100%
- Prévalence élevée = 50% des hépatites aiguës dans le monde → touche les pays à niveau d'hygiène faible
- Incubation de 15 à 50 jr
- Asymptomatique le plus souvent (80%)
- Risque d'hépatite aiguë fulminante 0,1%
- Diagnostic positif biologique :
  - Présence d'Ac anti-VHA de type IgM
  - IgG anti-VHA quand guérison
- Prévention +++ :
  - Mesures d'hygiènes :
    - Eviction scolaire
    - Décontamination des sanitaires
    - Lavage des mains
    - Lutte contre le péril fécal +++
  - Vaccination +++

HEPATITE B

- Virus à ADN
- Contamination sexuelle, parentérale (risque de 30% si AES sans vaccination) et materno-foetale
- Prévalence très élevée → 0,3% de porteur en France
- Incubation de 50 à 100 jr
- Asymptomatique le plus souvent (90%)

- Prévention :
  - Vaccination +++
  - Dépistage des donneurs de sang
  - Décontamination du matériel, usage unique
  - Rapports protégés
- Phase aiguë :
  - 10% symptomatique
  - Risque d'hépatite aiguë fulminante 1%
  - Diagnostic positif biologique :
    - Ag HBs + et Ac anti-HBc type IgM
    - Guérison = Ag HBs - et apparition des Ac anti-HBc type IgG
- Phase chronique +++ :
  - 10% de chronicisation
  - Définit par la persistance d'Ag HBs > 6 mois
  - Profils sérologiques :
    - Forme chronique inactive = Ag HBs +, Ac Anti-HBs -, Ac anti-HBc +, CV -, Ag HBe -, Ac anti-HBe +
    - Forme chronique active (virus sauvage) = Ag HBs +, Ac anti-HBs -, Ac anti-HBc +, CV +, Ag HBe +, Ac anti-HBe -
    - Forme chronique active mutant pré-C = Ag HBs +, Ac anti-HBs -, Ac anti-HBc +, CV +, Ag HBe -, Ac anti-HBe +

Hépatite B Chronique			
Clinique	**Paraclinique**	**Traitement**	**Surveillance**
• Asymptomatique • Souvent découverte fortuite sur bilan biologique • Péri artérite noueuse fréquemment associée	• Sérologie complète • BHC = cytolyse et cholestase • Bilan d'hémostase (gravité) • Bilan standard • Écho hépatique • PBH +++ systématique • Bilan IST et autres hépatopathies (alcool, NASH, hémochromatose) • Bilan des complications : - CHC = αFP + écho - Bilan de cirrhose • Bilan pré thérapeutique	• Indications : - Hépatite B active, CV + - Suspicion de cirrhose • Après recherche de CI • Interféron α pégylé - Monothérapie - De 6 à 12 mois • Antiviraux de 2nd intention : - Analogues nucléosidiques - Analogues nucléotidiques • Paracétamol : lutter contre syndrome pseudo grippal • Mesures associées (cf. en haut)	• Qualité de vie • Tolérance du TTT : - NFS/plaquettes - Uricémie - TSH - βHCG • Efficacité = objectif HAS (cf.) : - Transaminases tous les 3-6 mois - CV annuelle - Echographie • Complications : - αFP + écho - Co-infections

HEPATITE C

- Virus à ARN
- Co-infection VIH fréquente 25%
- Contamination parentérale +++, sexuelle et materno-foetale
- Prévalence très élevée → 1% en France (jusqu'à 60% chez les toxicomanes IV)
- 5 sous types (génotypes de 1 à 5)
- Incubation de 15 à 100 jr
- Asymptomatique le plus souvent (90%)
- Prévention :
  - Matériel stérile pour les toxicomanes
  - Dépistage des donneurs de sang
  - Décontamination du matériel, usage unique
  - Rapports protégés
- Phase aiguë :
  - 10% symptomatique
  - Jamais d'hépatite aiguë fulminante +++
  - Diagnostic positif biologique = nécessité de 2 prélèvements :
    - Présence d'Ac anti-VHC type IgM
    - PCR virale C positive
- Phase chronique +++ :
  - 70% de chronicisation
  - Définit par la persistance d'ARN viral C > 6 mois dans le sérum

Hépatite C Chronique			
Clinique	**Paraclinique**	**Traitement**	**Surveillance**
• Asymptomatique • Souvent découverte fortuite sur bilan biologique • Manifestations extra hépatiques : - Cryoglobulinémie +++ - Glomérulonéphrite membrano-proliférative - Porphyrie cutanée	• Sérologie complète (NPO génotypage) • BHC • Bilan d'hémostase • Bilan standard • Écho hépatique • Evaluation de la fibrose hépatique +++ (cf.) • Bilan IST et autres hépatopathies (alcool, NASH, hémochromatose) • Bilan des complications : - CHC = αFP + écho - Bilan de cirrhose • Bilan pré thérapeutique	• Indications : - Fibrose importante - CI si cirrhose décompensée • Interféron α pégylé + ribavirine - Bithérapie - 6 mois si génotype 2-3 - 12 mois si génotype 1-4 - Après recherche de CI • Paracétamol pour lutter contre le syndrome pseudo grippal • Mesures associées (cf. en haut)	• Qualité de vie • Tolérance du TTT : - NFS/plaquettes - Uricémie - TSH - βHCG • Efficacité = objectif HAS (cf.) : - Transaminases tous les 3-6 mois - CV annuelle - Echographie • Complications : - αFP + écho • Co-infections

- Evaluation de la fibrose hépatique :
    - PBH non systématique +++
    - Fibrotest ®
        - Génotype 2-3
        - Pas de co-infections
        - Pas d'autres hépatopathies
    - Fibroscan ®
        - Idem
        - Indiqué aussi si co-infection à VIH
- Réponse au traitement :
    - Guérison = réponse soutenue = répondeur : ARN viral C indétectable 6 mois après arrêt du TTT
    - Dit « répondeur » puis « rechuteur » : ARN viral C indétectable puis détectable dans les 6 mois après arrêt du TTT
    - Non-répondeur : ARN viral C détectable à la fin du TTT
- Facteurs de risque de progression :
    - Sexe masculin
    - Co-infections VIH, VHB
    - Alcoolisme
    - Age élevé
    - Génotypes 1 et 4
    - CV élevée

HEPATITE D

- Virus à ARN dit « défectif » car réplication possible que si porteur d'hépatite B
- Contamination sexuelle, parentérale ou materno-foetale
- Prévalence assez faible → concerne 5% des patients porteurs d'hépatite B
- Asymptomatique
- Risque d'hépatite fulminante 5% +++
- Si infections B et D simultanées = chronicisation 90%
- Si surinfection = chronicisation 5%, risque de cirrhose et de CHC supérieur que si hépatite B seule
- Diagnostic positif biologique :
    - Sérologie B positive
    - Présence d'Ac anti-VHD de type IgM → si infection aiguë
    - Présence d'IgG anti-VHD → signe l'infection delta
    - PBH systématique
- Traitement par interféron α pégylé > 1 an
- Prévention identique à l'hépatite B

HEPATITE E

- Virus à ARN
- Contamination oro-fécale directe ou indirecte
- Pas de chronicité → guérison 100%
- Rare en France et fréquente en Afrique, Asie, Amérique du sud
- Incubation de 2 à 6 semaines
- Asymptomatique le plus souvent (90%)

- Risque d'hépatite aiguë fulminante jusqu'à 5% (surtout chez la femme enceinte)
- Diagnostic positif biologique :
    - Présence d'Ac anti-VHE de type IgM (et IgG anti-VHE quand guérison)
    - PCR pour détection ARN viral E dans selle et sang
- Prévention identique à l'hépatite A → lutte contre le péril fécal +++

TRAITEMENTS ANTIVIRAUX

- Risque tératogène
- Bilan pré thérapeutique :
    - Avis psychiatrique
    - Avis ophtalmo
    - β-HCG
    - Bilan rénal = ionogramme sanguin, urée, créatininémie, protéinurie
    - TSH
    - ECG

CI	EI
Interféron α Pégylé (en SC)	
• Cirrhose décompensée • Troubles psychiatriques • Grossesse • Insuffisance rénale • Insuffisance cardiaque • Neutropénie / thrombopénie	• Asthénie • Dysthyroïdie • Neutropénie / thrombopénie • Syndrome pseudo grippal • Céphalées • Troubles neuro-psy
Ribavirine (en PO)	
• Dysthyroïdie • Grossesse • Troubles dépressifs • Cirrhose décompensée • Insuffisance rénale • Insuffisance cardiaque	• Iatrogénie • Troubles digestifs = anorexie, nausées • Hémolyse

ANOMALIES DU BILAN HEPATIQUE

- **Anomalies fréquentes**
- **Distinguer :**
  - **Cytolyse aiguë et chronique**
  - **Cholestase**
  - **Augmentation isolée des GGT**
- **Etiologies hépatiques et extra hépatiques**
- **2 urgences +++ = Hépatite aiguë fulminante et hépatite aiguë subfulminante**

GENERALITES

- Situation fréquente, prévalence estimée à 5%
- Asymptomatique et de découverte fortuite lors d'un bilan biologique
- 4 grandes anomalies retrouvées :
  - Cytolyse chronique
  - Cytolyse aiguë
  - Cholestase
  - Augmentation isolée des GGT
- Cytolyse = Augmentation des transaminases (ASAT et ALAT) 2nd à la destruction des hépatocytes
- Cholestase = Augmentation des GGT et des phosphatases alcalines 2nd à une altération de la sécrétion biliaire

BILAN HEPATIQUE COMPLET

- ASAT (20-60 UI/L) :
  - Surtout présente dans le myocarde et les muscles squelettiques, moindre dans le foie
  - ATTENTION, si augmentation isolée → origine musculaire
- ALAT (20-60 UI/L) :
  - Surtout présente dans le foie, moindre dans le rein, le myocarde, les muscles squelettiques et les poumons
- Gamma-GT (10-50 UI/L)
- Phosphatases alcalines (20-75 UI/L) : ↑ physiologique si grossesse et période croissance
- Bilirubine (5-17 μmol/L) :

CYTOLYSE CHRONIQUE

- Elévation des transaminases > 6 mois, le plus souvent < 10N
- Plusieurs causes peuvent coexister
- <u>Etiologies :</u>
  - Hépatites virales chroniques B et C +++
  - Alcoolisme chronique +++ (ASAT>ALAT, rapport ASAT/ALAT > 1 et GGT augmentée)
  - Stéato-hépatite non alcoolique = NASH +++ :
    - Liée à l'insulinorésistance dans le cadre d'un syndrome métabolique
    - Lésions macro vésiculaires et micro vésiculaires

- Iatrogénie
- Hémochromatose
- Syndrome de Budd-Chiari :
    - Obstruction des gros troncs veineux sus-hépatiques
    - Par compression extrinsèque, invasion néoplasique, thrombose
- Hépatite auto-immune
- Maladie de Wilson
- Foie cardiaque
- Causes générales :
    - Parasitose
    - Maladie cœliaque
    - Dysthyroïdie
    - Amylose
    - Insuffisance surrénalienne
    - Lymphome

- CAT :
    - Interrogatoire et examen physique complet → orientation étiologique
    - Bilan de 1ère intention :
        - VGM, CDT, GGT (alcoolisme)
        - Ferritinémie + CST (hémochromatose)
        - Glycémie, bilan lipidique (NASH)
        - Sérologies virales
    - En 2nd intention :
        - NFS, CRP
        - Bilan du cuivre
        - EPP, bilan immunologique
        - Ac anti-transglutaminases
        - TSH

CYTOLYSE AIGUË

- Elévation des transaminases de façon aiguë, souvent > 10N
- Souvent symptômes bruyants (ictère +++)
- Eliminer en urgence :
    - Hépatite aiguë fulminante +++ :
        - Cytolyse aiguë + baisse du TP et/ou du fact V < 50% + encéphalopathie hépatique
        - Facteurs favorisants = sujet âgé, alcool, médicaments hépatotoxiques, co infections hépatites B et D, immunodépression
        - Dans les 14 jours suivant l'ictère
        - Urgence thérapeutique → transplantation hépatique
    - Hépatite aiguë subfulminante : Idem mais apparition entre J14 et 3 mois après l'ictère
- Etiologies :
    - Hépatites virales aiguës +++
    - Hépatites alcooliques aiguës +++ (cf. cirrhose)
    - Cause biliaire = migration lithiasique (cf. lithiase biliaire)
    - Hépatites médicamenteuses :
        - 2 mécanismes = Immuno-allergique (non dose dépendante), toxique (dose dépendante)
        - Paracétamol, AINS, antiépileptiques, ATB, antituberculeux

- Hépatites toxiques
- Hépatites auto-immunes
- Ischémie hépatique par foie de choc

- Réflexes :
  - Toujours rechercher des signes d'encéphalopathie hépatique
  - Toujours doser le TP et le facteur V
  - Toujours effectuer une échographie hépatique pour éliminer une dilatation des VB

CHOLESTASE

- Associant augmentation des GGT et des phosphatases alcalines
- Si elle est prolongée = Conséquences :
  - Prurit invalidant
  - Ictère
  - Anorexie et dénutrition
  - Malabsorption des vitamines solubles :
    - Trouble de la coagulation par hypovitaminose K
    - Ostéopénie par hypovitaminose D
  - Fibrose hépatique voire cirrhose
- Etiologies :
  - Extra hépatiques :
    - Pancréatite chronique calcifiante
    - Lithiase biliaire voie principale
    - Cholangite sclérosante primitive
    - Cancer de la tête du pancréas
    - Cholangiocarcinome
    - Ampullome vatérien
  - Intra hépatiques :
    - Hépatites virales, médicamenteuses, toxiques, auto-immunes et alcooliques
    - Cirrhose et toutes hépatopathies
    - Obstructions des canaux biliaires intra hépatiques

AUGMENTATION ISOLEE DE GGT

- 3 causes fréquentes à retenir :
  - Alcoolisme chronique +++
  - Iatrogène +++
  - Stéatose par syndrome métabolique +++
- Autres :
  - Dysthyroïdie
  - Diabète
  - Cholestase débutante
  - Lésions intra hépatiques

Notes personnelles

MALADIE DE CROHN ET RECTOCOLITE HÉMORRAGIQUE

118

- **Maladie inflammatoire chronique de l'intestin**
- **Touche l'adulte jeune**
- **Tabac : rôle protecteur dans RCH et aggravant dans la maladie de Crohn**
- **Syndrome inflammatoire biologique**
- **Coloscopie +++ avec biopsies**
- **Différence histologique faisant le diagnostic**
- **Dosage des ASCA et ANCA**
- **Attention aux complications**

GENERALITES

- MICI = maladies inflammatoires chroniques de l'intestin
- Gradient Nord-Sud
- Touche l'adulte jeune : 15-30 ans
- RCH > Maladie de Crohn en Europe sauf en France
- Facteurs génétiques fréquents dans la maladie de Crohn, moins marqués dans la RCH
- Facteurs influençant :
    - Pour les deux :
        - AINS = aggrave la maladie et favorise les poussées
    - RCH :
        - Tabac et appendicectomie = facteurs protecteurs +++
    - Maladie de Crohn :
        - Tabac = facteur aggravant +++

PHYSIOPATHOLOGIE

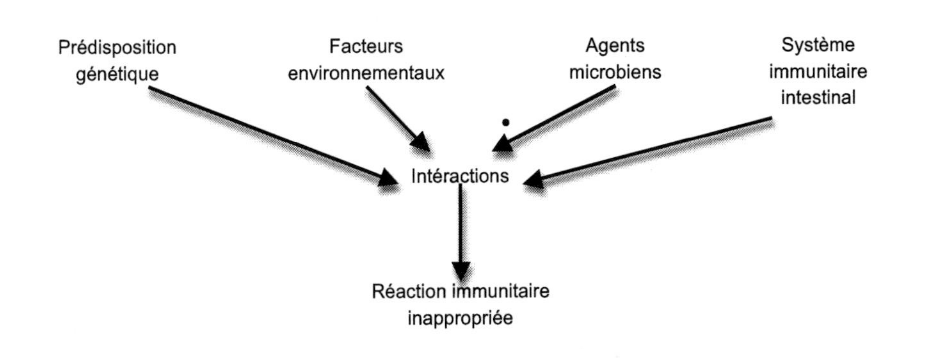

RECTOCOLITE HEMORRAGIQUE

- Maladie inflammatoire non transmurale
- Limitée au colon et au rectum +++ (anus toujours épargné)

- 3 formes :
  - Rectite = touche uniquement le rectum (1/3)
  - Recto-colite gauche = touche le colon mais ne dépasse pas l'angle gauche (1/3)
  - Pancolite = touche tout le colon (1/3)

Symptômes digestifs	Symptômes extra-digestifs	Paraclinique
• Diarrhée glairo-sanglante : - Nocturne et postprandiale - Progressive • Syndrome rectal • Douleurs abdominales • Rectorragies • Pas de lésions anales • Examen physique pauvre	(moins fréquent que M.Crohn) • SG = AEG et fièvre • Spondylarthrite ankylosante • Cholangite sclérosante primitive +++ • Anémie hémolytique • Dermatose neutrophilique • Erythème noueux	• NFS et CRP → syndrome inflammatoire • Dosage pANCA + et ASCA - • Pas de syndrome carentiel • Coloscopie avec iléoscopie + biopsies étagées en zones patho et saines (cf. histologie)

Complications	Evaluation de l'activité
• <u>Aiguës :</u> - Cholectasie (= mégacôlon) → risque de perforation - Perforation colique - Hémorragie digestive basse - Colite aiguë grave (= nécessité de 3 critères de Truelove et Witts) → Urgence thérapeutique • <u>A long terme :</u> - Récidive de poussée - Augmentation du risque de CCR - Augmentation du risque de TVP	= Basée sur les critères de Truelove et Witts • Critères : - Nombre de selles > 6/jr - T° vespérale > 37,8° sur 2 jours ou >37,5° sur 4 jours - Hb < 10,5 g/dL - Fc > 90 bpm - VS > 30 mm • <u>Activité légère</u> → < 4 selles/jr • <u>Activité modérée</u> → entre 4 et 6 selles/jr • <u>Activité sévère</u> → > 6 selles/jr

MALADIE DE CROHN

- Maladie inflammatoire chronique transmurale
- Touche tout le tube digestif de la bouche à l'anus
- 5 formes :
  - Inflammatoire seule (70%)
  - Sténosante (15%)
  - Fibrosante
  - Perforante
  - Fistulisante

Symptômes digestifs	Symptômes extra-digestifs	Paraclinique
• Diarrhée chronique : - Hydrique - Glairo-sanglante - Parfois absente • Douleurs abdominales	• AEG fréquente • Syndrome de malabsorption (cheveux cassants, conjonctives pâles…) • Spondylarthrite ankylosante	• NFS et CRP → syndrome inflammatoire • Dosage pANCA - et ASCA + • Syndrome carentiel +++ • Coloscopie avec iléoscopie

• Syndrome de Koënig • Syndrome rectal • Manifestation ano-périnéales +++ : - Fissure anale / Ulcération - Fistule - Abcès marge anale - Sténose	• Amylose +++ • Ostéonécrose • Érythème noueux • Aphtoses • Cholangite sclérosante • Uvéite +++	+ biopsies étagées en zones patho et saines (cf. histologie) • EOGD • Entéroscanner ou vidéocapsule • TDM abdomino-pelvien sans et avec injection et opacification digestive basse

Complications	Evaluation de l'activité
• <u>Aiguës :</u> - Syndrome de malabsorption +++ : ▪ Dénutrition ▪ Retard de croissance ▪ Carences - Occlusion digestive +++ - Infections - Perforation digestive - Fistule - Colectasie - Incontinence anale • <u>A long terme :</u> - Récidives de poussées - Augmentation du risque de CCR - Augmentation du risque de TVP	= Indice de Best +++ • Evaluée sur calendrier des selles de 7 jours • Critères : - Nombre de selles - Douleurs abdominales - Bien-être général - Manifestations extra-digestives - Consommation d'anti diarrhéique - Masse abdominale - Hématocrite - Variation de poids

HISTOLOGIE

- Coloscopie totale avec iléoscopie + biopsies étagées + anatomopathologie
- Zones saines et zones pathologiques
- (CI si cholectasie)
- But :
  - Diagnostic positif
  - Diagnostic d'extension
  - Diagnostic de gravité
  - Diagnostic différentiel

RCH	Maladie de Crohn
• <u>Critères spécifiques :</u> - Macroscopie : ▪ Lésions érythémateuses, granitées, hémorragiques, superficielles +/- ulcérations ▪ Lésions continues, homogènes, sans intervalles de muqueuse saine, touchant uniquement colon/rectum (iléon normal)	• <u>Critères spécifiques :</u> - Macroscopie : ▪ Lésions discontinues, hétérogènes, avec intervalles de muqueuse saine pouvant toucher tout le tube digestif ▪ Ulcérations aphtoïdes en carte de géographie ▪ Epaississement de la paroi digestive

- Microscopie : ▪ Lésions non transmurales ▪ Pas de granulome giganto-cellulaire ▪ Perte de substance ▪ Perte de la muco-sécrétion ▪ Abcès cryptiques nombreux - Complications : ▪ Pas de sténose, pas de fistule • <u>Critères non spécifiques :</u> - Inflammation chronique : ▪ Infiltrat lympho-plasmocytaire du chorion ▪ Fibrose ▪ Atrophie muqueuse ▪ Modification architecturale cryptique ou glandulaire - Activité inflammatoire : ▪ Infiltrat de PN, surtout PNN	- Microscopie : ▪ Atteinte transmurale ▪ Granulome épithélio-giganto-cellulaire sans nécrose caséeuse ▪ Hyperplasie lymphoïde diffuse ▪ Muco-sécrétion conservée ▪ Abcès cryptiques rares - Complications : ▪ Fistules ▪ Sténoses ▪ Pseudo polype • <u>Critères non spécifiques :</u> - Inflammation chronique : ▪ Infiltrat lympho-plasmocytaire du chorion ▪ Fibrose ▪ Atrophie muqueuse ▪ Modification architecturale cryptique ou glandulaire - Activité inflammatoire : ▪ Infiltrat de PN, surtout PNN

TRAITEMENT

- (Pas au programme)
- Multidisciplinaire / ALD 30 et 100% / Soutien psy / Information et éducation
- Traitement symptomatique :
  - Renutrition
  - Correction des carences
  - Anti coagulation préventive pendant les poussées +++
  - Antalgiques et antispasmodiques
  - Soutien psychologique + association de malade
  - Prise en charge des troubles du transit
- RHD :
  - CI aux AINS
  - Sevrage du tabac
  - Repos
  - Régime sans résidu pendant les poussées
  - Pas de régime pendant les périodes de rémissions
- Traitement médical spécifique :
  - Dérivés salicylés type Salazopirine
  - Corticoïdes locaux
  - Corticoïdes systémiques
  - Immunosuppresseurs type MTX et Anti-TNFα
- Traitement chirurgical spécifique :
  - M.Crohn = Chirurgie économe +++
  - RCH = Colectomie totale avec anastomose iléo anale + réservoir iléal → guérison +++

TRANSPLANTATION HEPATIQUE

127

- **Loi de bioéthique du 6 août 2004 → Agence de biomédecine**
- **Compatibilité ABO du donneur et receveur (cross match)**
- **Bilan pré greffe**
- **TTT immunosuppresseur (IS) + suivi A VIE**
- **Sevrage alcoolique > 6 mois avant transplantation**
- **Consentement présumé**
- **Prélèvement possible sur :**
  - **Donneur vivant → dérogation de l'anonymat**
  - **Donneur décédé → mort encéphalique**

EPIDEMIOLOGIE

- Notions générales :
  - Pénurie de donneur → 1 patient sur 10 meurt sur liste d'attente
  - Greffe hépatique → 800 greffes/an pour 1500 inscrits
- Facteurs de bon pronostic :
  - Liés au donneur = vivant / jeune / décès de cause brutale
  - Liés au receveur = bon état général / pas d'ATCD de transplantation
  - Liés au greffon = compatibilité HLA parfaite / courte durée d'ischémie
- Survie du patient et du greffon hépatique :
  - Survie à 5 ans = 67% / 60% à 10ans / durée médiane de survie du greffon = 15 ans

PRINCIPES IMMUNOLOGIQUES

- Règles de compatibilités :
  - Groupe ABO / rhésus / RAI + Typage HLA + identité donneur-receveur nécessaire
  - Incompatibilité HLA ne contre-indique jamais la transplantation hépatique
- Les différents types de rejet :
  - Rejet hyper aiguë :
    - Lié à la réponse immunitaire humorale → dépistée par un cross-match positif
    - Ac anti HLA du receveur reconnaissant les Ag HLA du donneur
  - Rejet aigu :
    - Lié à la réponse immunitaire cellulaire des lymphocytes T (LT)
    - Présentation des Ag HLA du donneur aux LT du receveur par les CPA du donneur
  - Rejet chronique = tardif :
    - Lié à la réponse immunitaire cellulaire des lymphocytes T (LT)
    - Présentation des Ag HLA du donneur aux LT du receveur par les CPA du receveur
- Mécanismes immunitaires du rejet :
  - 1) Interaction récepteur des LT du receveur ↔ surface des CPA + Ag du donneur
  - 2) Activation de la synthèse de calcineurine / IL-2
  - 3) Amplification autocrine et paracrine de la prolifération lymphocytaire par IL-2
  - 4) Phase effectrice = migration vers le greffon → cytotoxicité directe des LT CD8 sur greffon

CADRE LEGAL

- Loi de Bioéthique du 6 Août 2004 → Agence de biomédecine :
  - Inscrite dans le Code de Santé Publique / donneur vivant → lien de parenté étendu
  - Sanctions pénales en cas de non respect de la loi
- Les 6 principes fondamentaux du don d'organe :
  - Gratuité
  - Anonymat
  - Consentement présumé
  - Pas de publicité
  - Respect de l'intégrité du corps humain
  - Sécurité sanitaire des établissements autorisés aux transplantations
- Les 10 Missions de l'agence de Biomédecine :
  - Constitution et gestion de la liste des patients en attente de greffe
  - Gestion de la répartition des greffons
  - Coordination du registre national des refus
  - Suivi des donneurs vivants
  - Autorisation des établissements habilités aux transplantations
  - Evaluation et contrôle des activités de prélèvements et de transplantations
  - Promotion du don d'organe
  - Recherche clinique et épidémiologique sur les greffes
  - Publication du rapport d'activité de prélèvements et de transplantations
  - Information au gouvernement sur les nouvelles connaissances médicales
- Prélèvement chez une personne vivante :
  - Dérogation au principe d'anonymat
  - Donneurs autorisés sans dérogation du comité d'experts :
    - Père et mère
  - Donneurs autorisés avec dérogation du comité d'experts :
    - Conjoint / enfants / fratrie / oncles et cousins
    - Toute personne prouvant une vie commune ≥ 2 ans avec le receveur
  - Procédure légale :
    - Information du donneur sur les risques
    - Consentement libre et éclairé du donneur par le comité d'experts
    - Demande du donneur par écrit auprès du tribunal de grande instance
    - Accord préalable de l'Agence de Biomédecine et du Comité d'Experts
    - Absence de contre-indications médicales au don
- Prélèvement de moelle osseuse :
  - Don anonyme et gratuit sans lien de parenté exigé
  - Inscription préalable au registre de greffe de moelle osseuse
  - Recherche de compatibilité HLA parmi les proches puis sur le registre
- Conditions du prélèvement chez une personne décédée :
    - Mort encéphalique prouvée (examens paracliniques) + certificat de mort encéphalique
    - Absence d'opposition au don de son vivant (registre national des refus / famille)
    - Absence de contre-indications médicales
    - Absence d'obstacle médico-légal (mort violente ou suspecte → autopsie)
    - Signalement à l'agence de biomédecine pour coordonner les équipes

CI médicales à la transplantation	
Liés au donneur	**Liés au receveur**
• Age > 65 ans (CI relative) • Incompatibilité ABO • Infection en cours / sérologie positive • Cancer évolutif ou traitement < 5 ans • Contre-indications opératoires si donneur vivant	• Age > 65 ans • Incompatibilité ABO • Grandes insuffisances (rénale / cardiaque…) • Diabète évolué / maladie systémique • Cancer évolutif • Infection en cours / sérologie positive • Cross match positif • Troubles psychiatriques • Contre-indications opératoires

BILAN PRE TRANSPLANTATION

- Bilan immunologique chez donneur + receveur :
  - Groupe ABO / Rhésus / RAI
  - Phénotype HLA + recherche d'Ac anti-HLA
- Bilan infectieux chez donneur + receveur :
  - Sérologies = VIH 1-2 / HTLV 1-2 / VHB-VHC / VDRL-TPHA / Toxo / CMV / EBV / HHV8
  - Recherche d'un foyer infectieux :
    - ORL → consultation / TDM sinus / panoramique dentaire
    - Autres foyers → ECBU / RTx / recherche BMR nasal
- Bilan d'opérabilité chez receveur + donneur si donneur vivant :
  - Etat général / performance statu OMS / indice Karnofsky
  - Cardiovasculaire → ECG / ETT / EDTSA / coronarographie
  - Respiratoire → RTx / EFR +/- TDM / nasofibroscopie
  - Néoplasique → FCV / mammographie / PSA
  - Psychiatrique → consultation systématique / prévoir l'observance
- Test de Cross-match en pré transplantation :
  - Test de lymphotoxicité par mise en contact des lymphocytes LT / LB du donneur
  - Avec sérum du receveur
  - Si positif → risque majeur de rejet hyper aiguë → contre-indique la greffe
- Bilan spécifique d'organe :
  - Bilan hépatique complet = ASAT-ALAT / GGT / PAL / bilirubine totale et libre / TP-TCA
  - Echographie hépatique
  - AngioTDM du système porte + bili-IRM

INDICATIONS A LA TRANSPLANTATION HEPATIQUE

- Hépatite virale fulminante :
  - TP < 50% + encéphalopathie dans les 15 jr après l'ictère
- Cirrhose :
  - Stade C ou B si complications
- Carcinome hépatocellulaire → **Critères de Milan** :
  - 1 nodule < 5 cm
  - < 3 nodules de < 3 cm

Traitement Post Transplantation

- Principes généraux :
  - TTT immunosuppresseur (IS) débuté en per opératoire (= induction)
  - Suivi A VIE (= entretien) car risque persistant de rejet aigu
  - Association des traitements / variabilité interindividuelle / interactions médicamenteuses
  - Effets secondaires multiples
- TTT immunosuppresseur de niveau 1 = inhibition de la transcription de IL-2 :
  - Inhibiteurs de la calcineurine = ciclosporine
  - Corticoïdes (méthylprédnisone)
- TTT immunosuppresseur de niveau 2 = inhibition de l'action de IL-2 :
  - Ac anti récepteur d'IL2 (basiliximab)
  - Inhibiteur des kinases mTOR
- TTT immunosuppresseur de niveau 3 = inhibition de la prolifération lymphocytaire :
  - Inhibiteur des bases puriques (azathioprine)
  - Inhibiteur de la synthèse des bases puriques (micophénolate mofétil = cellcept®)
- TTT anti-infectieux initial pendant 3 à 6 mois :
  - Antiviral = aciclovir ou valaciclovir → contre CMV et HSV
  - Antibiotique = bactrim fort® → contre pneumocystose
  - Antifongique = fungizone® PO → contre candidoses
- Mesures associées :
  - Prévention des effets secondaires
  - Ajustements médicamenteux pour éviter les interactions
  - Prise en charge 100% / ALD 30
- Surveillance A VIE :
  - 1x/3M → 1x/6M + cs spécialisée 1x/an A VIE
  - Clinique :
    - Efficacité = fonctionnement du greffon / poids / ictère / nutrition…
    - Tolérance = effets secondaires / infections / FdR CV / cancer cutané et gynécologique
  - Paraclinique :
    - Efficacité = biologie / imagerie +/- biopsie si suspicion de rejet
    - Tolérance = dosage du taux résiduel du TTT / bilan biologique +/- infectieux

Complications

Complications Immunologiques		
Rejet hyper aigu (< 24h)	**Rejet aigu (< 3mois)**	**Rejet tardif = Chronique (> 3mois)**
• Mécanisme humoral • Destruction du greffon par les Ac anti-HLA du receveur : - Irréversible - Rapide • Prévenue par : - Cross match positif → CI greffe - Compatibilité immunologique	• Mécanisme cellulaire • Destruction par cellules immunitaires du receveur : - Réversible - Si majoration du TTT IS • Diagnostic par biopsie : - Infiltrat immunitaire inflammatoire	• Mécanisme cellulaire • Dysfonction du greffon : - Progressive - Irréversible - TTT IS inefficace

- Complications cardio-vasculaires :
  - 1ère cause de mortalité après une greffe
  - Greffe + TTT IS → Inducteurs de FdR CV
- Complications infectieuses :
  - 2nd cause de mortalité après une greffe, liées aux traitements IS
  - Déficit en LT → risque infectieux intracellulaire :
    - Virus = CMV / EBV / HSV et VZV / VHB (mais vaccination) / VHC
    - Bactéries = mycobactéries / BK / listeria
    - Champignons = candidose / cryptococcose / aspergillose
    - Parasites (par réactivation) = pneumocystose / toxoplasmose
- Complications tumorales :
  - 3ème cause de mortalité
  - Risque de cancer à oncogénèse virale :
    - Hémopathies = lymphomes → EBV
    - Cancer cutané = spinocellulaire
    - Cancers gynécologiques = cancer du col / vulve / anus → HPV
    - Maladie de Kaposi → HHV8
- Dysfonction primaire du greffon → délai d'ischémie trop long / défaut de prélèvement…
- Récidive de la pathologie sur le greffon (inobservance / iatrogène)
- Complication anesthésique et opératoire
- Complications iatrogènes :
  - Néphrotoxicité → inhibiteurs de la calcineurine (ciclosporine)
  - Hématotoxicité = cytopénies → tous les IS
  - Métaboliques = dyslipidémie / diabète / HTA / ostéoporose → corticoïdes / ciclosporine

Notes personnelles

TUMEURS COLORECTALES

148

- **Argument de fréquence**
- **Dépistage de masse organisé**
- **FdR +++**
- **Formes familiales à toujours dépister**
- **Coloscopie totale avec iléoscopie + biopsies étagées + anapath**
- **IRM pelvienne ou écho endoscopie endo-rectale si cancer du rectum**
- **Chirurgie + Traitement adjuvant**
- **CI à la radiothérapie dans le cancer du colon et du haut rectum**
- **Dépistage familial +++**

GENERALITES

- Argument de fréquence
- 3ème cancer le plus fréquent en terme d'incidence
- 2ème cancer en terme de mortalité
- Incidence = 37000 cas/an
- Mortalité = 17000 décès/an
- Age moyen = 70 ans
- Formes familiales ≈ 10%

PHYSIOPATHOLOGIE

- Anatomopathologie = Adénocarcinome lieberkhünien +++
- Survenue à 80% sur polypes
- Adénome bénin → Dysplasie de bas grade → Dysplasie de haut grade → Cancer infiltrant
- Extension :
  - Locale = longitudinale et transversale
  - Régionale = duodénum, pancréas, péritoine + ganglions lymphatiques + atteintes veineuses et nerveuses
  - A distance = foie +++, poumons, os, cerveau

FACTEURS DE RISQUE

- Risque modéré = Dépistage de masse :
  - Age > 50 ans (sans symptômes évocateurs = asymptomatique)
- Risque élevé :
  - ATCD personnels de polypes ou de CCR
  - ATCD familiaux (au 1er degré) de polypes > 1cm ou de CCR chez un sujet < 65 ans
  - MICI avec pancolite évoluant depuis > 20 ans
  - Acromégalie
- Risque très élevé :
  - Syndrome HNPCC
  - PAF

Facteurs favorisants	Facteurs protecteurs
• Alimentation riche en protéines • Charcuterie • Obésité • Tabac et Alcool	• Alimentation riche en fibres • Activité physique régulière • THS de la ménopause • Aspirine et AINS

DEPISTAGE DE MASSE

- Indications :
  - Tout patient > 50 ans
  - Asymptomatique +++ (si symptômes = coloscopie directement)
  - N'appartenant pas aux autres groupes à risque plus élevé = pas de FdR connus
- Modalités :
  - Toucher rectal annuel
  - Test Hémocult :
    - Tous les 2 ans
    - De 50 à 75 ans
    - Recueil des selles de 3 jours
    - Recherche de sang microscopique dans les selles
- Conséquences :
  - Si test positif = Coloscopie totale avec anatomopathologie +++
    - Risque de retrouver un CCR = 10% et un polype = 30-50%
  - Si test négatif = poursuite du dépistage de masse

CLINIQUE

- Circonstances de découverte :
  - Fortuite lors d'examens complémentaires
  - Dépistage de masse
  - Dépistage individuel sur FdR élevé ou très élevé
  - Rectorragies ou anémie ferriprive ou masse abdominale ou TR
  - Complications
- Interrogatoire :
  - ATCD familiaux et personnels
  - Recherche de FdR
  - SF :
    - Modifications du transit récentes +++
    - Alternance diarrhée/constipation +++
    - Rectorragies ou méléna
    - Syndrome rectal (surtout cancer rectal)
    - Douleurs abdominales
- Examen physique :
  - Poids, taille, IMC, état général → AEG
  - Palpation abdominale = recherche d'une masse (rare)
  - TR +++ = Tumeur bourgeonnante, ulcérée, saignant au contact, indurée
  - Palpation des aires ganglionnaires → Schéma daté et signé
  - Examen à distance = palpation hépatique, examen neurologique, auscultation pulmonaire, douleurs osseuses

PARACLINIQUE

- Diagnostic positif :
  - Coloscopie TOTALE avec examen anatomopathologique sur biopsies étagées + iléoscopie
    - Tumeur bourgeonnante
    - Ulcérée
    - Indurée
    - Saignant au contact
    - Friable
  - Lavement baryté OU Coloscanner → Si coloscopie incomplète ; souvent en rapport avec une sténose en forme de « trognon de pomme »
  - Biologique = NFS/plaquettes, bilan martial → recherche anémie ferriprive
- Bilan d'extension :
  - Etat général et examen clinique +++
  - Marqueur tumoral = ACE (utile pour le suivi)
  - Bilan hépatique complet
  - Echographie hépatique + radio thoracique OU TDM TAP +++
  - TEP-scan à discuter
  - Scintigraphie osseuse, TDM cérébrale si point d'appel clinique
  - Bilan d'opérabilité, du terrain (cardiovasculaire, pulmonaire, nutritionnel) et pré thérapeutique
- Cancer rectal (particularités) :
  - IRM pelvienne (pour les tumeurs T3 et T4) :
    - Précise l'infiltration dans le mésorectum
    - Estimation des marges latérales
  - Echo-endoscopie endo-rectale :
    - Systématique
    - Précise le degré d'infiltration pariétale
    - Extension ganglionnaire
  - Rectoscopie au tube rigide (si tumeur non palpable au TR) = Précise la localisation exacte

COMPLICATIONS

- Occlusion digestive +++ :
  - La plus fréquente des complications → Mauvais pronostic
  - Evolution progressive
  - Syndrome occlusif + AEG
  - Déshydratation importante
  - ASP + Coloscan (ou lavement baryté) = précise le siège, aspect en « trognon de pomme »
- Infection = colite infectieuse :
  - Fièvre oscillante, avec décharges bactériennes
  - Douleur abdominale et défense localisée
  - Bilan infectieux complet + TDM Abdomino-pelvien → recherche collection, abcès
  - ATTENTION à l'endocardite +++
- Hémorragie digestive
- Anémie ferriprive
- Perforation colique (tableau de péritonite)
- Fistule (clinique dépendante du type de fistule)

MAUVAIS PRONOSTIC

- Classification TNM = T3/T4, N+, M+
- Complication révélatrice
- Type histologique = peu différencié
- Résidu tumoral chirurgical ou marges non saines
- Emboles vasculaires ou envahissement péri nerveux
- Atteintes ganglionnaires importantes

TRAITEMENT

- Annonce du diagnostique / RCP / Plan personnalisé de soin / Multidisciplinaire / ALD 30 et 100 %
- Curative ou Palliative
- Cancer du colon :

Absence de métastases	
• Chirurgie carcinologique : - Après potentialisation du patient (équilibre hydro électrolytique et renutrition) - Laparotomie - Exploration complète de la cavité abdominale et prélèvements multiples - Ligature première des vaisseaux nourriciers - Hémi colectomie avec exclusion tumorale → marge de 5 cm - Curage ganglionnaire + ablation du méso colon - Rétablissement de la continuité en 1 temps - Examen extemporané + anapath définitive • Chimiothérapie adjuvante type 5FU + sel de platine (si T3/T4, N+) • Pas de radiothérapie +++	
Métastases synchrones	**Métastases métachrones**
• Chimiothérapie néo adjuvante discutée • Chirurgie tumorale + Ablations métastases si résécables • Chimiothérapie adjuvante • NB : Si non résécables = évaluation à distance de la chimio pour possible résection	• Chimiothérapie néo adjuvante • Résections des métastases si possible • +/- Chimio adjuvante

- Cancer du rectum :
  - Cancer du 1/3 supérieur du rectum = Traitement identique au cancer du colon

Cancer des 2/3 inférieurs du rectum (marge > 1 cm)	Cancer des 2/3 inférieurs du rectum (marge < 1cm)
• Radiothérapie seule ou radio chimiothérapie néo adjuvante (si T3/T4, N+, M+) • Chirurgie carcinologique : - Résection antérieure → marge de 1 cm - Exérèse totale du mésorectum - Anastomose colo anale + iléostomie de protection - Rétablissement de continuité à 3 mois • Chimiothérapie (ou Radio chimiothérapie) si N+	• Traitement néo adjuvant et adjuvant identique • Chirurgie carcinologique : - Amputation abdomino-pelvienne + sigmoïdostomie définitive - Parfois, résection inter sphinctérienne avec marge de 1 cm

- Mesures associées :
  - Soutien psy
  - Education du patient
  - Prise en charge de la douleur
  - Prise en charge nutritionnelle
  - Traitement de l'anémie
  - Dépistage familial +++ avec consultation d'oncogénétique
  - Pose de PAC si chimiothérapie
- Complications :

Occlusion digestive	Infection
• Urgence thérapeutique +++ • Levée de l'obstacle : - Endoscopique : ▪ Si AEG importante ▪ Mise en place d'une endoprothése ▪ Chirurgie carcinologique à distance - Chirurgicale : ▪ Colostomie de dérivation ▪ Coloscopie totale ▪ Chirurgie carcinologie + anapath ▪ Stomie de protection ▪ Rétablissement continuité à distance • Traitement symptomatique : - Antalgiques - Antispasmodiques - Nutrition	• Urgence médicale +++ • Hospitalisation en service de chirurgie ou réa • Mise en condition : - Repos au lit - Equilibre hydro électrolytique • Traitement spécifique : - ATB +++ large spectre, probabiliste, 2nd adaptée, IV, active sur BGN et anaérobies, de type C3G + flagyl +/- aminosides - Drainage sous contrôle TDM d'un abcès • Traitement symptomatique : - Antalgiques - Antispasmodiques - Nutrition • Traitement du cancer à distance dit « à froid »

SUIVI

- Régulier, tous les 3 mois pendant 3 ans, tous les 6 mois pendant 2 ans puis 1x/an à vie
- Objectifs :
  - Dépistage des récidives locales ou à distances
  - 2nd cancer CCR ou cancer spectre similaire
  - Complications liées au cancer ou aux traitements
  - Réinsertion professionnelle et qualité de vie
- Examen clinique :
  - Etat général
  - SF
  - Palpation abdominale
  - Examen des aires ganglionnaires → schéma daté et signé
  - TR
  - Recherche de métastases à distance
- Examens complémentaires :
  - Coloscopie complète = à 6 mois si initialement incomplète sinon à 2 ans puis tous les 5 ans
  - Dosage du marqueur tumoral ACE
  - TDP TAP = 1x/3 à 6 mois pendant 2 ans puis 1x/an pendant 3 ans
  - Echo-endoscopie endo-rectale ou IRM pelvienne annuelle si cancer rectal

Classification TNM (HAS 2010)	
Cancer du Colon	**Cancer du Rectum**
• **Tumeur locale :** - Tis = cancer in situ - T1 = sous muqueuse colique - T2 = musculeuse colique - T3 = sous séreuse colique - T4 : ▪ T4a = péritoine viscéral ▪ T4b = organes de voisinage • **Ganglions régionaux :** - N0 = pas d'atteintes ganglionnaires - N1 : ▪ N1a = 1 ganglion ▪ N1b = 2-3 ganglions ▪ N1c = dépôts tumoraux satellites - N2 : ▪ N2a = 4-6 ganglions ▪ N2b = > 7 ganglions • **Métastases à distance :** - M0 = pas de métastases - M1 : ▪ M1a = Métastases à distance sur 1 organe ▪ M1b = Métastases à distance sur plusieurs sites	• **Tumeur locale :** - Tis = cancer in situ - T1 = sous muqueuse rectale - T2 = musculeuse rectale - T3 = graisse péri rectale et mésorectum - T4 = organes de voisinage • **Ganglions régionaux :** - N0 = pas d'atteintes ganglionnaires - N1 = 1-3 ganglions - N2 = > 4 ganglions • **Métastases à distance :** - M0 = pas de métastases - M1 = Métastases dont ganglions de Troisier

Polypes Colorectaux

- 1ère étape avant le cancer
- Tumeur bénigne épithéliale = Adénome
- Puis transformation avec degré de dysplasie différent (Classification de Vienne)
- Plusieurs formes :
  - Pédiculé = en hauteur
  - Sessile = base large
  - Plan = épaisseur faible
- FdR de dégénérescence :
  - Ancienneté > 10 ans
  - Forme sessile
  - Nombre de polypes > 2
  - Degré de dysplasie avancé
  - Taille > 1cm
  - Composante cellulaire = villeux > tubulo-villeux > tubuleux
- Prise en charge = TOUT POLYPE DOIT ETRE RETIRE ET ANALYSE +++
  - Coloscopie totale avec analyse anatomopathologique du/des polypes
  - Surveillance à 5 ans si = taille > 1cm, nombre > 5 ou ATCD familiaux
  - Dépistage familial +++

FORMES FAMILIALES

PAF	Sd HNPCC
= Polypose adénomateuse familiale • Mutation autosomique dominante du gène suppresseur de tumeur APC • Pénétrance complète • Expression variable • <u>Clinique :</u> - Polype colique +++ → dégénérescence à 100% - Polypes duodénaux, ampullaires, gastriques - Tumeurs desmoïdes • <u>Paraclinique :</u> - Coloscopie totale - EOGD - Séquençage du gène APC sur ADN de lymphocytes circulants • <u>Prise en charge :</u> - Coloprotectomie totale avec anastomose iléo-rectale prophylactique entre 15 et 25 ans - Surveillance ++ - Dépistage familial	= Syndrome de Lynch • Anomalie autosomique dominante avec inactivation du système mismatch repair (MMR) par anomalies des microsatellites • Pénétrance complète • Expression variable • <u>Clinique :</u> - Cancers du spectre HNPCC (CCR, estomac, endomètre, grêle, rein...) - **Critères de BETHESDA +++** (1 seul parmi) : ▪ Age < 50 ans ▪ 2nd CCR synchrone ou métachrone ▪ 2nd cancer spectre HNPCC ▪ CCR avec > 1 parent (1er degré) avec cancer HNPCC < 50 ans ▪ CCR > 2 parents (1er ou 2ème degré) avec cancer HNPCC indépendant de l'âge - Critères d'AMSTERDAM (tous les critères) • <u>Paraclinique :</u> - Coloscopie totale - Recherche d'instabilités des microsatellites - Immunohistochimie - Séquençage des gènes du système MMR • <u>Prise en charge :</u> - Colectomie carcinologique totale si CCR retrouvé - Surveillance annuelle +++ par coloscopie (+/- échographie pour cancer endomètre) - Dépistage familial

RESUME

- Cancer du colon et du haut rectum :

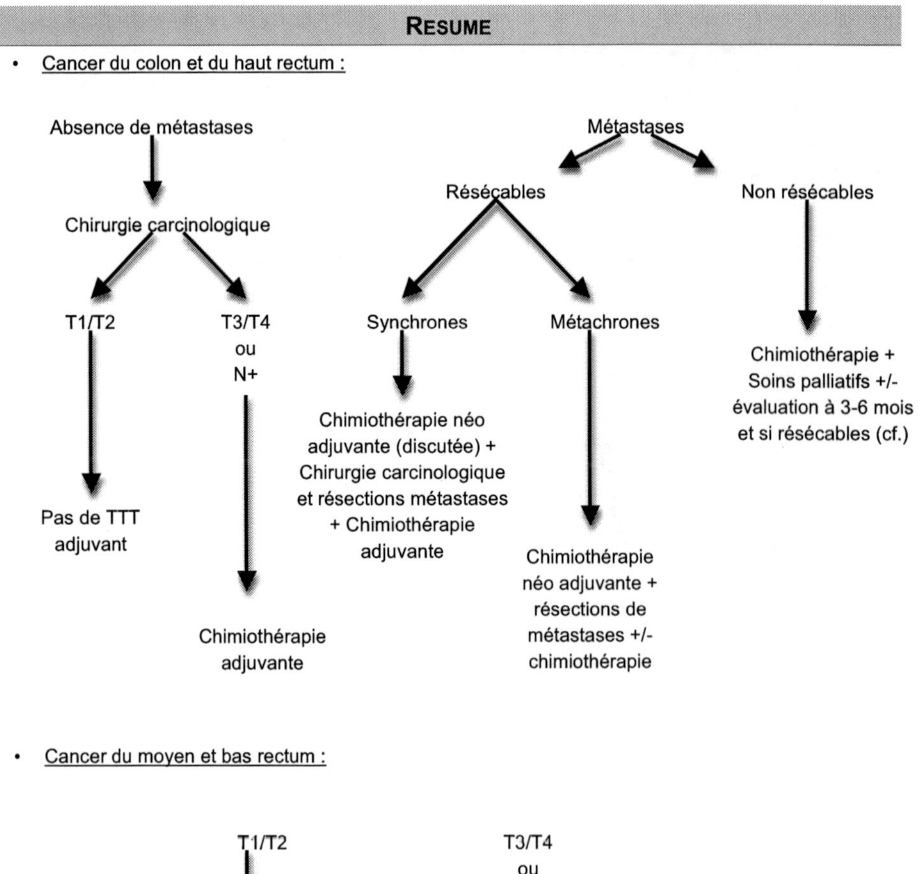

- Cancer du moyen et bas rectum :

T1/T2 → Pas de TTT néo adjuvant

T3/T4 ou N+ → TTT néo adjuvant par radiothérapie seule ou radio chimiothérapie

TUMEURS DE L'ESTOMAC

150

- **Découverte tardive → Mauvais pronostic**
- **L'alcool n'est pas un facteur de risque**
- **EOGD +++**
- **Mesures associées :**
  - **Supplémentation en vitamine B12 en IM à vie**
  - **Fractionnement de l'alimentation**
- **Pour la famille :**
  - **Information sur le risque de cancer**
  - **FOGD ou test non invasif à la recherche d'HP**
  - **Eradication précoce d'HP**

GENERALITES

- Découverte tardive → mauvais pronostic
- Touche plutôt l'homme
- Age médian = 60-70 ans
- Incidence = 8700 nouveaux cas/an
- Mortalité = 5000 décès/an
- Anatomopathologie :
  - Touche la muqueuse gastrique à plus de 2 cm de la jonction œsogastrique
  - Adénocarcinome à 90%
    - Forme intestinale (aspect macroscopiquement ulcéré)
    - Forme diffuse = Linite gastrique (tube rigide avec paroi épaisse et blanchâtre)
  - Extension ganglionnaire fréquente

FACTEURS DE RISQUE

- Infection à Hélicobacter pylori (HP) +++
- Facteurs environnementaux :
  - Alimentation riche en sel et nitrites
  - Tabagisme +++
- Facteurs génétiques :
  - ATCD familiaux au 1er degré de cancer gastrique
  - Syndrome HNPCC
- Maladies prédisposantes :
  - Gastrite chronique atrophiante dont maladie de Biermer
  - Ulcère gastrique
  - ATCD de gastrectomie partielle
  - Maladie de Ménétrier (gastropathie hypertrophiante)

- NB : Facteurs protecteurs = alimentation riche en vitamine C, fruits et légumes

CLINIQUE

- Circonstances de découverte :
  - Découverte tardive
  - Dysphagie
  - AEG
  - Biopsie d'ulcère gastrique
- Interrogatoire :
  - FdR, ATCD personnels et familiaux
  - SF :
    - AEG avec amaigrissement multifactoriel
    - Dysphagie +++
    - Sensation de satiété précoce
    - Vomissements postprandiaux
    - Douleurs épigastriques
    - Hémorragie digestive avec méléna ou hématémèse
- Examen physique :
  - Poids, taille, IMC, état général → AEG
  - Palpation abdominale = masse épigastrique, carcinose péritonéale, ascite
  - Palpation des aires ganglionnaires → schéma daté et signé
  - Signes d'anémie 2nd aux pertes sanguines
  - A distance = palpation hépatique, auscultation pulmonaire, douleurs osseuses, examen neurologique, TV pour métastases ovariennes
- Syndrome paranéoplasique :
  - TVP par hypercoagulabilité
  - Acanthosis nigricans
  - Kératose séborrhéique diffuse
  - Dermatomyosite
  - Manifestations auto-immunes

PARACLINIQUE

- Diagnostic positif :
  - EOGD :
    - Tumeur bourgeonnante, ulcérée, indurée, saignant au contact
    - Biopsies multiples en muqueuse saine et pathologique
    - Linite gastrique = tube rigide avec paroi épaissie et blanchâtre, aspect en bagues à chaton à l'anapath
  - Transit aux hydrosolubles (si EOGD impossible)
- Bilan d'extension :
  - NPO l'état général et l'examen clinique
  - TDM TAP
  - Écho endoscopie digestive haute :
    - Envahissement locorégional
    - Extension ganglionnaire
  - Marqueurs tumoraux = ACE et CA 19.9
  - Bilan d'opérabilité et du terrain

Mauvais Pronostic

- Stade TNM : T3-T4, N+, M+
- Tumeur diffuse/ linite gastrique
- Résidu tumoral et limites de résection chirurgicale non saines
- Age > 70 ans
- Tumeur > 4 cm
- Tumeurs peu différenciées

Traitement

- (Pas au programme officiel)
- Annonce diagnostique / RCP / PPS / Multidisciplinaire / ALD 30 et 100%
- Curatif ou palliatif
- Traitement chirurgical :
  - Exérèse chirurgicale carcinologique par gastrectomie totale ou partielle
  - Anastomose oeso-jéjunale
  - Examen extemporané et anapath définitive
  - Mesures associées :
    - Supplémentation vitamine B12 en IM à VIE
    - Supplémentation en fer et calcium
    - Fractionnement des repas
  - Risque de malabsorption 2nd à un défaut de facteur intrinsèque, dumping syndrome, diarrhée
- Traitement adjuvant par radio chimiothérapie adjuvante
- Mise en place d'une endoprothèse digestive par endoscopie
- Si suspicion d'HNPCC = consultation d'oncogénétique
- Mesures associées :
  - Prise en charge de la douleur et nutritionnelle
  - Soutien psy
  - Arrêt des facteurs de risque
- Surveillance à vie

Lymphomes Digestifs

- Tumeurs du tissu lymphoïde associées aux muqueuses = MALT
- Associées à la famille des lymphomes non Hodgkiniens
- Entre 50 et 65 ans
- <u>Facteurs de risque :</u>
  - Infection bactérienne à HP
  - Infection virale à EBV
  - Maladie cœliaque
  - Immunodépression
- <u>Clinique :</u>
  - Aspécifique et souvent asymptomatique
  - Douleurs, anémie, syndrome occlusif
- <u>Paraclinique :</u>
  - EOGD +++ : biopsies multiples avec anatomopathologie + recherche d'HP
  - Test non invasifs pour recherche d'HP
  - Echo-endoscopie digestive haute

- Bilan d'extension → Classification de Ann Harbor
    - Examen clinique et état général
    - NFS/plaquettes
    - VS/CRP et EPP
    - Bilan d'hémostase
    - LDH, β2-microglobuline
    - Sérologies VIH, VHB, VHC, EBV
    - TDM TAP
    - Biopsie ostéo-médullaire
    - Examen ORL
- Traitement :
    - Eradication d'HP +++
    - Chimiothérapie
    - Chirurgie
    - Radiothérapie

Tumeurs Stromales

- Tumeurs mésenchymateuses conjonctives (développées au dépend de la muqueuse digestive) exprimant une protéine de multiplication cellulaire 2nd à la mutation du gène c-kit
- Le seul critère de malignité = présence de métastases
- Clinique :
    - Asymptomatique
    - Douleurs abdominales, syndrome occlusif, fièvre
    - Masse abdominale parfois retrouvée
- Paraclinique :
    - EOGD +++ :
        - Tumeur à surface lisse et arrondie pouvant être de grande taille
        - Confirmation par l'immunohistochimie
    - Echo-endoscopie pour biopsies profondes
    - TDM TAP
- Traitement :
    - Exérèse chirurgicale complète
    - Chimiothérapie par Glivec®
    - Surveillance clinique et paraclinique
    - Parfois, recherche de neurofibromatose de type 1

TUMEURS DU FOIE

151

- **Tumeurs primitives bénignes et malignes**
- **Tumeurs secondaires**
- **HNF = cicatrice centrale et Adénome = pas de cicatrice centrale**
- **Carcinome hépatocellulaire +++ :**
  - **Sur foie cirrhotique**
  - **Tumeur hyper vascularisée avec rehaussement précoce artériel et Wash-out précoce**
  - **PBH non systématique → Critères de Barcelone**
- **Métastase :**
  - **Non rehaussées au produit de contraste**
  - **Recherche du primitif**

DIFFERENTES TUMEURS HEPATIQUES

Tumeurs kystiques		Tumeurs tissulaires	
Bénignes	**Malignes**	**Bénignes**	**Malignes**
• Kystes biliaires • Cystadénome • Kystes parasitaires • Polykystose rénale • Multikystose hépatique pure : - Mal. de Caroli - Fibrose kystique congénitale	• Cystadéno-carcinome • Métastases kystiques	• Hémangiome • Adénome hépatocellulaire • Hyperplasie nodulaire focale	• Carcinome hépatocellulaire +++ • Angiocarcinome • Hépatoblastome • Lymphome • Cholangio-carcinome • Carcinome fibro-lamellaire

- A part : Abcès hépatique

TUMEURS BENIGNES

- Kystes biliaires :
  - Argument de fréquence
  - Formation liquidienne séparée du parenchyme hépatique par une paroi tapissée d'épithélium (similaire à celui des voies biliaires)
  - Clinique :
    - Asymptomatique → diagnostic fortuit
    - Parfois, douleurs en HCD
    - Complications = hémorragie intra kystique, rupture, infection, compression voisinage

- Paraclinique :
    - Echographie hépatique = tumeur anéchogène sphérique ou ovalaire à bords nets et avec renforcement postérieur
    - TDM = hypo dense ne prenant pas le contraste
    - IRM = hypoT1 et hyperT2
- Traitement : Abstention thérapeutique et pas de surveillance

Hyperplasie nodulaire focale = HNF	Adénome hépatocellulaire	Hémangiome
• Femme de 20-50 ans • Pas de risque de transformation maligne • <u>Clinique :</u> - Asymptomatique → découverte fortuite - +/- douleurs, pesanteurs • <u>Paraclinique :</u> - BHC normal - Echographie : lésion hypo ou isoéchogène, homogène avec cicatrice centrale - TDM : iso ou hypo dense, hyper vascularisée au temps artériel, prise de contraste tardive de la partie centrale - IRM : iso ou hypoT1, iso ou hyperT2, homogène, hyper vascularisé • <u>Traitement :</u> - Abstention thérapeutique - Surveillance imagerie	• Femme de 20-50 ans • Risque de transformation maligne +++ • <u>Clinique :</u> - Douleurs HCD - Pesanteurs • <u>Paraclinique :</u> - BHC = cholestase anictérique - NFS et CRP = syndrome inflammatoire possible - Echographie : lésion hyperéchogène hétérogène bien limitée sans cicatrice centrale - TDM : lésion isodense hétérogène, hyper vascularisation hétérogène au temps artériel - IRM : lésion hétérogène, iso ou hyperT1, hyperT2, vascularisation variable • <u>Traitement :</u> - Résection chirurgicale systématique - Arrêt de la contraception car facteur favorisant	• Tumeur vasculaire • Aucun risque de transformation maligne • Argument de fréquence • <u>Clinique :</u> - Asymptomatique → découverte fortuite - Parfois, pesanteurs abdo • <u>Paraclinique :</u> - BHC normal - Echographie : lésion hyperéchogène, homogène, bien limitée - IRM : hyerT2 - TDM : lésion hypodense rehaussée au produit de contraste de la périphérie vers le centre, chute tardive - Ci à la PBH → risque hémorragique • <u>Traitement</u> : abstention thérapeutique

Carcinome Hepatocellulaire

Generalites

- Principale tumeurs primitives malignes du foie → 90%
- Homme > 50 ans
- Incidence = 7500 nouveaux cas/an
- Survient sur foie cirrhotique quasi systématiquement (90%) +++
    - Hémochromatose
    - Hépatite chronique B

- Anatomopathologie :
  - Adénocarcinome développé à partir des hépatocytes
  - Vascularisé par l'artère hépatique
  - Extension vasculaire fréquente → thrombose portale +++
- Dépistage systématique des sujets cirrhotiques ou à risques :
  - α FP + échographie hépatique
  - Tous les 6 mois

Clinique

- Circonstances de découverte :
  - Décompensation de cirrhose +++
  - Syndrome tumoral
  - Lors du dépistage systématique des sujets à risque
- Examen clinique :
  - SF (rare) :
    - Douleurs HCD
    - AEG avec amaigrissement
    - Fièvre, frissons
  - Examen physique pauvre :
    - Ictère multifactoriel
    - Signes d'IHC et d'HTP
    - Décompensation de cirrhose
    - Palpation hépatique = masse hépatique dure et irrégulière
    - Parfois, souffle systolique pré hépatique
    - Examens des aires ganglionnaires (ADP de Troisier) → schéma daté et signé
    - Touchers pelviens +++
  - Examen à distance : douleurs osseuses, auscultation pulmonaire, examen neurologique

Paraclinique

- Diagnostic positif :
  - Dosage de l'α FP → élévation souvent > 500 ng/ml
  - TP et fact V → dissociation +++, TP bas et réascension du fact V
  - Echographie hépatique :
    - Foie cirrhotique
    - Nodule hyper vascularisé
    - Petite taille = homogène et hypoéchogène
    - Grande taille =hétérogène et hyperéchogène
    - Recherche de thrombose portale et signe d'Okuda
  - TDM abdominale :
    - Lésion hypodense hétérogène
    - Rehaussement important et précoce au temps artériel
    - Chute précoce au temps portal = Wash-out
  - IRM abdominale :
    - HypoT1 et hyperT2
    - Fort rehaussement au temps artériel et chute précoce temps portal
  - PBH non systématique = **Critères de Barcelone :** (cf.)

- Bilan d'extension :
  - NPO état général et examen clinique
  - Evaluation du score de Child
  - BHC
  - Bilan syndrome paranéoplasique :
    - NFS → polyglobulie
    - Calcémie → hypercalcémie
    - Glycémie → hypoglycémie
  - TDM TAP (ou écho hépatique + radio thoracique)
  - Scintigraphie osseuse et TDM cérébrale si point d'appel

Critère de Barcelone **(Critères valables uniquement sur foie cirrhotique)**		
Nodule < 1 cm	**Nodule entre 1 et 2 cm**	**Nodule > 2 cm**
• Pas de PBH • Surveillance échographique tous les 3 mois puis si stable, tous les 6 mois	• Aspect évocateur sur au moins 2 examens parmi = échographie avec contraste, TDM et IRM → Pas de PBH • Si aspect non typique = PBH	• Aspect typique sur 1 examen complémentaire OU aspect douteux mais α FP > 200 ng/ml → Pas de PBH • Sinon = PBH

COMPLICATIONS

- Rupture tumorale → hémorragie intra péritonéale
- Surinfection tumorale
- Thrombose portale → risque de rupture des varices œsophagiennes et de poussée d'ascite
- Obstruction des voies biliaires
- Iatrogène (2nd aux traitements)
- 2nd à la PBH =
  - Hémorragie
  - Dissémination
  - Non rentabilité

TRAITEMENT

- (Pas au programme officiel)
- Annonce diagnostique / RCP / PPS / Multidisciplinaire / ALD 30 et 100%
- Prise en charge curative : (la thrombose portale contre-indique tout traitement)
  - Transplantation hépatique = critères de Milan
  - Résection chirurgicale
  - Radiofréquence, alcoolisation, cryothérapie
- Prise en charge palliative = Chimio-embolisation intra artérielle hépatique
- Prise en charge de la cirrhose +++
- Mesures associées :
  - Prise en charge de la douleur
  - Prise en charge de la dénutrition
  - Soutien psy

Metastases Hepatiques

Generalites

- Argument de fréquence
- Organe le plus touché par les métastases
- Primitifs fréquents :
  - Digestif +++ (en particulier le CCR)
  - Sein, thyroïde, poumon, prostate
- Synchrone = découverte en même temps que le primitif lors du bilan d'extension
- Métachrone = découverte à distance, lors du suivi
- Révélatrice = découverte du primitif lors du bilan de métastase

Clinique

- Asymptomatique +++ le plus souvent
- SF :
  - AEG +++
  - Douleurs, pesanteurs de l'HCD
  - Ictère multifactoriel
- SP :
  - HPM
  - Masse dure irrégulière
- Recherche du primitif +++

Paraclinique

- Diagnostic positif :
  - BHC = cholestase, cytolyse mais peut être normal
  - Echographie hépatique = nodule d'aspect tissulaire hypoéchogène (souvent multiples)
  - TDM abdomino-pelvien = lésions hypodense non rehaussée +++, aspect en cocarde
  - IRM = HypoT1 et hyperT2
  - Biopsie uniquement en 2nd intention
- Recherche du primitif +++ :
  - NPO l'examen clinique
  - Marqueurs tumoraux pouvant orienter = PSA, ACE, CA 19.9, SCC
  - TDM TAP
  - Coloscopie totale avec biopsies
  - Biopsies prostatiques
  - Mammographie bilatérale
  - Echographie thyroïdienne
  - PET-scan +++

Traitement

- (Pas au programme officiel)
- Annonce diagnostique / RCP / PPS / Multidisciplinaire / ALD 30 et 100%
- Traitement étiologique = prise en charge du cancer primitif
- Traitement spécifique = résection chirurgicale (+/- après chimiothérapie néo adjuvante)
- Mesures associées

TUMEURS DE L'OESOPHAGE

152

- **ALCOOLO-TABAGISME +++**
- **Dysphagie élective**
- **EOGD +++ avec biopsies et anatomopathologie**
- **Echo-endoscopie œsophagienne**
- **Pan endoscopie ORL → Cancers associés +++ (surtout ORL)**
- **Prise en charge nutritionnelle indispensable**

GENERALITES

- 7ème cancer en France et le 3ème cancer digestif
- Touche préférentiellement les hommes
- Incidence = 4000 cas/an
- 2 types histologiques :
  - Carcinome épidermoïde = touche le 1/3 supérieur
  - Adénocarcinome = touche le 1/3 inférieur
- Extension :
  - Locale = en longueur, latéralement
  - Régionale = médiastin, trachée, carotides, nerfs récurrents, bronche, aorte, canal thoracique
  - A distance = ganglions, foie et poumons

FACTEURS DE RISQUE

- Carcinome épidermoïde :
  - Alcool
  - Tabac
    (Alcool + Tabac : Effet synergique)
  - HPV
  - Facteurs professionnels = mineurs, blanchisserie, travailleurs pétroliers
  - Alimentation = céréales, barbecue, aliments riches en nitrosamines
  - Thé brulant
  - Certaines pathologies prédisposantes = maladie cœliaque, cancers VADS, œsophagite caustique, achalasie
- Adénocarcinome :
  - RGO avec endobrachyoesophage
    - Longueur de l'EBO > 8 cm ou compliquée
    - Obésité
    - Alcool et Tabac
    - ATCD familiaux

CLINIQUE

- Circonstance de découverte :
  - Diagnostic tardif → souvent asymptomatique
  - Fortuite lors d'un examen complémentaire

- Interrogatoire :
  - ATCD familiaux
  - ATCD personnels de cancers dépendant de l'alcool et du tabac, RGO
  - FdR +++
  - SF =
    - Dysphagie élective prédominant sur les solides puis totale, d'évolution progressive
    - Douleurs → envahissement médiastinal ou du plexus cœliaque
    - Dysphonie → atteinte du récurrent gauche
    - Toux à la déglutition → atteinte du récurrent ou fistule oeso-tachéale
- Examen physique (souvent pauvre) :
  - SG = Poids, taille, IMC, état général → AEG fréquente avec amaigrissement prédominant
  - Palpation des aires ganglionnaires → schéma daté et signée
  - Examen à distance
  - NPO : Recherche de cancers/pathologies associées = examen ORL complet, palpation hépatique, auscultation pulmonaire

PARACLINIQUE

- Diagnostic positif :
  - EOGD +++ avec biopsies étagées et analyse anatomopathologique :
    - NPO le schéma daté et signé des lésions
    - Lésion bourgeonnante, ulcérée, indurée, saignant au contact
    - +/- utilisation de colorants
  - Si EOGD impossible = TOGD
- Bilan d'extension :
  - NPO état général et examen clinique
  - Marqueurs tumoraux (pour le suivi) :
    - SCC → carcinome épidermoïde
    - ACE et CA 19.9 → adénocarcinome
  - Echo-endoscopie œsophagienne = précise extension en profondeur et ganglionnaire
  - TDM cervico-thoraco-abdomino-pelvien
  - Pan endoscopie des VADS +++ avec fibroscopie bronchique + schéma
  - Scintigraphie osseuse et TDM cérébrale en fonction de la clinique
  - Bilan d'opérabilité +++ (cardiovasculaire, respiratoire, nutritionnel)
  - Bilan du terrain (recherche de cirrhose et autres pathologies alcoolo et tabaco-dépendantes)

COMPLICATIONS

- Générales :
  - AEG, amaigrissement, cachexie
  - Hémorragie digestive haute (souvent traduit par un méléna)
- Liées à l'extension latérale :
  - Dysphagie
  - Régurgitations
  - Syndrome de CBH
- Liées à l'extension médiastinale :
  - Paralysie récurrentielle → dysphonie, fausses routes
  - Fistule oeso-trachéale → toux à la déglutition et pneumopathie d'inhalation

- Pleurésie carcinologique
- Péricardite carcinologique
- Atteinte aortique → hématémèse

• <u>Liées au tabac et à l'alcool :</u>
  - Autres cancers (foie, poumon, ORL, vessie)
  - Pathologies dentaires
  - BPCO
  - Cirrhose

TRAITEMENT

• (Pas au programme officiel)
• Annonce diagnostique / RCP / PPS / ALD 30 et 100% / Multidisciplinaire
• Traitement spécifique :
  - Chirurgical par oesophagectomie subtotale ou oesophago-laryngectomie
  - Radio-chimiothérapie concomitante
• Mesures associées :
  - Prise en charge de la douleur
  - Prise en charge nutritionnelle
  - Sevrage total et définitif du tabac et de l'alcool, avec aide au sevrage
  - Hygiène bucco-dentaire
  - Soutien psy
  - Information et éducation
• Suivi régulier, à vie :
  - Récidive locale ou à distance
  - 2nd cancer associé
  - Qualité de vie
  - Complications liées aux traitements

Notes personnelles

TUMEURS DU PANCREAS

155

- **Pronostic sombre +++**
- **Sujet âgé + AEG avec amaigrissement important**
- **Grosse vésicule distendue = signe de Courvoisier**
- **Hypovitaminose K par malabsorption → trouble de l'hémostase +++**
- **Syndrome paranéoplasique fréquent**
- **Prise en charge nutritionnelle +++**

GENERALITES

- Pronostic sombre +++, découverte tardive
- 4ème cancer digestif
- Incidence = 3500 cas/an
- Mortalité = 2500 décès/an
- Touche l'homme > 60 ans (70-80 ans)
- Anatomopathologie = Adénocarcinome +++
- Localisation = Tête du pancréas +++ > corps > queue
- Diagnostics différentiels :
    - Ampullome vatérien
    - Cholangiocarcinome
    - ADP profonde
    - Pseudo kyste
- Autres types de tumeurs = tumeurs kystiques et tumeurs endocrines (cf. en bas)

FACTEURS DE RISQUE

- Pancréatite chronique calcifiante
- ATCD familiaux → prédisposition
- Tabagisme
- Obésité
- +/- Diabète

CLINIQUE

- Circonstances de découverte :
    - Découverte fortuite
    - AEG avec amaigrissement
    - Apparition d'un diabète ou déséquilibre d'un diabète préexistant
    - Pancréatite aiguë
    - Symptômes aspécifiques et métastases
    - Complications révélatrices
    - Syndrome paranéoplasique
- Interrogatoire :
    - FdR et ATCD personnels et familiaux

- SF :
  - AEG avec amaigrissement
  - Douleurs solaires
  - Ictère nu
  - Prurit
- Examen physique :
  - SG = taille, poids, état général → recherche d'une AEG
  - Palpation abdominale :
    - Grosse vésicule biliaire = Signe de Courvoisier
    - Masse en HCG (si tumeur de la queue)
    - +/- Douleur à la palpation de l'HCD
    - +/- HPM, nodules de carcinose péritonéale
  - Palpation des aires ganglionnaires → schéma daté et signé
  - Examen à distance à la recherche de métastases = palpation hépatique, examen neurologique, auscultation pulmonaire, douleurs osseuses
- Syndromes paranéoplasiques fréquents :
  - Syndrome de Weber Christian
  - Neuropathie périphérique
  - Fièvre
  - TVP
  - Diarrhée motrice

PARACLINIQUE

- Diagnostic positif :
  - Échographie abdominale +++ (en 1ère intention) :
    - Signes directs = masse pancréatique hétérogène mal limitée d'échogénicité variable (plutôt hypodense), ADP pathologiques
    - Signes indirects = dilatation des VBIH et VBEH, vésicule distendue, dilatation du Wirsung +/- métastases
  - TDM Abdomino-pelvien :
    - Masse hypodense intra pancréatique
    - Non rehaussée
    - Evaluation de l'extension et des complications
  - Echo-endoscopie pancréatique :
    - Permet de réaliser des biopsies avec anapath
    - Bilan d'extension locorégionale = état ganglionnaire, rapport avec vaisseaux
  - Glycémie à jeun → recherche d'un diabète 2nd
  - Bilan d'hémostase→ hypovitaminose K par malabsorption 2nd à la cholestase réactionnelle
  - BHC → cholestase, cytolyse
  - Albuminémie → hypo albuminémie, en rapport avec la dénutrition
- Bilan d'extension :
  - NPO état général et examen clinique
  - Marqueurs tumoraux = Ace et CA 19.9
  - Bilan des carences = bilan martial, dosages des vitamines solubles
  - TDM TAP (ou écho hépatique + radio thorax)
  - Bilan du terrain et d'opérabilité

COMPLICATIONS

- Insuffisance pancréatique :
  - Exocrine = stéatorrhée et malabsorption
  - Endocrine = diabète secondaire
- Compression biliaire :
  - Angiocholites à répétition
  - Risque de dénutrition, d'ictère et de prurit invalidant
- Compression du duodénum :
  - Tableau d'occlusion haute
  - Vomissements
  - Arrêt du transit tardif
- Envahissement des vaisseaux mésentériques
- Carcinose péritonéale :
  - Ascite
  - Occlusion digestive
- Infiltration du plexus cœliaque = douleurs solaires
- Syndrome paranéoplasique (cf.)
- Métastases

TRAITEMENT

- (Pas au programme officiel)
- Annonce diagnostique / RCP / PPS / Multidisciplinaire / ALD 30 et 100%
- Curatif (rare) ou palliatif
- <u>Avant tous traitements :</u>
  - Prise en charge nutritionnelle → correction de la dénutrition
  - Correction des carences, en particulier l'hypovitaminose K (correction du trouble de l'hémostase)
- <u>Traitement chirurgical (si possible) :</u>
  - Laparotomie
  - Exploration de la cavité abdominale + prélèvements multiples
  - Si cancer de la tête = Duodéno-pancréatectomie céphalique avec triple anastomoses (digestive, biliaire, pancréatique)
  - Si cancer corps ou queue = Spléno-pancréatectomie gauche
  - Lymphadénectomie
  - Examen extemporané + anapath définitive
- <u>Traitement adjuvant :</u>
  - Chimiothérapie +/- radiothérapie
- <u>Mesures associées :</u>
  - Poursuite prise en charge nutritionnelle
  - Prise en charge de la douleur
  - Soutien psy
  - Pose de PAC pour la chimiothérapie + prévention des complications
  - Si splénectomie = mesures préventives (vaccinations + ATB)
  - Prise en charge des complications :
    - Endoprothèse duodénale
    - Endoprothèse biliaire

TUMEURS KYSTIQUES

- 4 types :
  - Pseudo kystes (cf. PA et PCC)
  - Cystadénome mucineux ou séreux
  - Cystadénocarcinome mucineux
  - TIPMP = tumeur intra-canalaire papillaire et mucineuse du pancréas
- Cystadénomes :
  - Touche la femme d'âge mûr
  - Clinique :
    - Douleurs solaires
    - Amaigrissement
    - Masse abdominale
  - Marqueurs tumoraux faiblement élevés ou absents

Cystadénomes		Cystadénocarcinome
Mucineux	**Séreux**	
• Touche le corps et la queue • Risque dégénératif important • Imagerie : - Kystes faibles nombres, de tailles importantes > 2 cm - Calcifications centrales - Signes de malignité +++ • Ponction = liquide riche en marqueurs tumoraux • Traitement = Exérèse chirurgicale systématique +++	• Touche la tête et le corps • Pas de risque dégénératif • Imagerie : - Nombreux kystes de petites tailles < 2 cm - Calcifications centrales avec aspect en « nid d'abeilles » • Traitement = résection si symptomatique, sinon abstention thérapeutique	• Mucineux +++ • Tumeurs multiloculaires volumineuses • Diamètre > 9 cm • Clinique = Symptomatiques +++ : - Douleurs abdominales - AEG - Masse palpable • Paraclinique : - Marqueurs = ACE, CA 19.9 - Echo abdo / TDM abdo = tumeurs kystiques à parois épaisses, végétations intra kystiques, ADP, métastases • Traitement = Chirurgical

- TIPMP :
  - Prolifération épithéliale d'un canal pancréatique = hypersécrétion mucus, dilatation du canal
  - 2 types :
    - Type C1 +++ = touchant le canal de Wirsung → Risque dégénératif ++
    - Type C2 = touchant les canaux secondaires
  - Diagnostic souvent fortuit
  - Clinique = poussée de PA, douleurs abdo, insuffisance pancréatique exocrine et endocrine
  - Paraclinique = TDM abdominale / Wirsungo-IRM
    - Dilatation du Wirsung ou des canaux secondaires
    - Atrophie du parenchyme en amont +/- calcifications
    - Mise en évidence de la communication avec le canal de Wirsung ou les 2nd (Wirsungo-IRM +++)
  - Traitement = chirurgical si C1 ou C2 de grande taille, sinon abstention thérapeutique

Tumeurs Endocrines

- Dites « fonctionnelles » si symptomatiques (car sécrétant des hormones)
- Dites « non fonctionnelles » si asymptomatiques
- Recherche de NEM 1 +++ → NPO le dépistage familial
- 5 types :

Insulinome	Gastrinome	VIPome
• Sécrétion d'insuline • Tableau d'hypoglycémie organique avec triade de Whipple • Insulinémie, glycémie, peptide C, épreuve de jeun	• Sécrétion de gastrine • Syndrome de Zollinger-Ellison (Ulcère sans HP, récurrent) • Gastrinémie, test sécrétine, FOGD	• Sécrétion de VIP • Diarrhée hydrique + dénutrition • Kaliémie, VIPémie

Glucagonome	Somatostatinome
• Sécrétion de glucagon • Erythème nécrotique migrateur + alopécie + dépigmentation • Glycémie, glucagonémie, albuminémie	• Sécrétion de somatostatine • Insuffisance pancréatique endocrine et exocrine + lithiase biliaire • Somastostaninémie

- Paraclinique :
  - Marqueur tumoral commun = Chromogranine A
  - Echographie abdominale / TDM abdomino-pelvien / IRM abdominale
  - Echo-endoscopie → biopsies
  - Octréoscan
- Critères prédictifs de malignité :
  - Tumeur > 6 cm
  - Non fonctionnelle
  - Envahissement vasculaire
  - Index mitotique élevé
  - NB : Le seul critère de malignité véritable = présence de métastases

Notes personnelles

DOULEUR ABDOMINALE / LOMBAIRE AIGUË

- **Douleur abdominale aiguë si < 1 semaine**
- **Douleur abdominale chez la femme en âge de procréer → GEU → βHCG**
- **Examen clinique = examen abdominal / orifices herniaires / lombaire / TR / TV**
- **Ne pas oublier les causes générales extra abdominales :**
  - **Endocrinologiques : acidocétose diabétique / Insuffisance surrénale aiguë**
  - **Cardiovasculaires : anévrysme / dissection de l'aorte abdominale (AA)**

ETIOLOGIES

- Etiologies générales extra abdominales :
  - Cardiovasculaires :
    - Anévrysme (AAA) / dissection de l'aorte abdominale
    - Crise drépanocytaire
  - Endocrinologiques :
    - Insuffisance surrénale aiguë
    - Acidocétose diabétique
  - Métaboliques :
    - Hypercalcémie / hyperkaliémie

Hypochondre Droit	Epigastre	Hypochondre Gauche
• Pulmonaires : - EP / Pneumopathie basale - Epanchement pleural - Abcès sous phrénique • Digestives : - Lithiase biliaire - Cf : cause hépatomégalie • Rénales : - PNA / colique néphrétique - Abcès rénal	• Cardio-vasculaires : - Dissection / AAA - Syndrome coronarien / IdM - Péricardite • Digestives : - Pancréatite aiguë - Colique hépatique - UGD	• Pulmonaires : - EP / Pneumopathie basale - Epanchement pleural - Abcès sous phrénique • Digestives : - Pancréatite aiguë - UGD • Rénales : - PNA / colique néphrétique - Abcès rénal
Flanc Droit	**Péri Ombilicale**	**Flanc Gauche**
• Digestives : - Cancer colique - Appendicite rétro caecale • Rénales : - PNA / colique néphrétique - Abcès rénal • Gynécologiques : - GEU +++ - Salpingite aiguë - Torsion d'annexes	• Digestives : - TFI - Appendicite méso cœliaque - Infarctus mésentérique - Syndrome occlusif - Hernie ombilicale étranglée	• Digestives : - Cancer colique • Rénales : - PNA / colique néphrétique - Abcès rénal • Gynécologiques : - GEU +++ - Salpingite aiguë - Torsion d'annexes

Hypochondre Droit	Hypogastre	Hypochondre Gauche
• Digestives : - Appendicite latéro-caecale - Diverticule de Meckel - MICI / iléite / colites - Syndrome occlusif • Rénales : - PNA / colique néphrétique - Abcès rénal • Gynécologiques : - GEU +++ - Salpingite aiguë - Torsion d'annexes • Vasculaires : ▪ Anévrysme iliaque • Musculaires : • Abcès / hématome psoas	• Digestives : - Appendicite pelvienne - Sigmoïdite aiguë - Syndrome occlusif • Rénales / urinaires : - PNA / colique néphrétique - Cystite aiguë - Globe urinaire - Prostatite aiguë • Gynécologiques : - GEU +++ - Fibrome utérin - Endométrite	• Digestives : - Appendicite latéro-caecale - Sigmoïdite diverticulaire - Diverticule de Meckel - MICI / iléite / colites - Syndrome occlusif • Rénales : - PNA / colique néphrétique - Abcès rénal • Gynécologiques : - GEU +++ - Salpingite aiguë - Torsion d'annexes • Vasculaires : - Anévrysme iliaque • Musculaires : - Abcès / hématome psoas

CLINIQUE

- Interrogatoire :
  - ATCD → diabète / appendicectomie / FDRCV / DDR si femme
  - Prise médicamenteuse (AINS / AVK) / alcool
  - Anamnèse → heures du dernier repas
  - Caractériser la douleur
  - Signes associés = vomissement / SFU / métrorragie / rectorragie
- Examen physique :
  - Prise des constantes
  - Examen abdominal / lombaire + TR + TV
  - Inspection = ictère / pâleur / cicatrice ++ / météorisme
  - Palpation :
    - Masse / douleur / défense / contracture / TR / orifices herniaires
    - Globe vésical
  - Percussion = ébranlement des fosses lombaires / ascite / météorisme
  - Auscultation = bruits hydro-aériques / souffle vasculaire
  - Evaluation du retentissement = SRIS / sepsis / choc / AEG / déshydratation

PARACLINIQUE

- Bilan biologique de 1ère intention :
  - NFS-CRP → syndrome infectieux
  - Bilan hépatique
  - Ionogramme sanguin, urée, créatinine
  - Glycémie
  - Lipasémie → pancréatite aiguë
  - Lactatémie → signe de gravité / infarctus mésentérique

- Bilan selon le contexte :
  - BU +/- ECBU → si signes urinaires
  - ECG +/- troponine → si FDRCV
  - Hémocultures → si fièvre
  - β-HCG plasmatiques → si femme jeune
  - Frottis/goutte épaisse→ si retour de voyage
- Imagerie :
  - Abdomen sans préparation → occlusion intestinale aiguë / colique néphrétique
  - Echographie abdominale →appendicite / lithiase biliaire / cholécystite
  - TDM abdominale → pancréatite aiguë / diverticulite sigmoïdiennes
  - Fibroscopie œsogastroduodénale (FOGD) → hémorragie digestive

ORIENTATION DIAGNOSTIQUE

	Douleur	Signes associés	Paraclinique
UGD	• Epigastrique • Pas d'irradiation • Crampe / brûlure • Postprandiale • Calmée par repas	• Signes atypiques • Sd dyspeptique	• FOGD + biopsies
Appendicite	• FID • Pas d'irradiation • Survenue brutale	• Signes digestifs • Fièvre modérée • TR douloureux	• TDM • Echographie
Diverticulite	• Sujet âgé • Défense en FIG	• Signes digestifs • Fièvre • TR → rectorragies	• TDM abdominale
Pancréatite aiguë	• Epigastrique • Barre transfixiante • Calmée par antéflexion	• Signes digestifs • Sepsis / choc	• Lipase > 3N • TDM à 48h
Colique hépatique	• Epigastrique puis HCD • Irradiation épaule droite • Intensité forte • Brutale / continue • Durée < 6h	• Signe de Murphy • Pas de défense • Pas de fièvre • Pas d'ictère	• Echographie
Colique néphrétique	• Fosse lombaire • Irradiation OGE • Intensité forte • Pas de position antalgique	• Apyrétique • Ebranlement lombaire	• ASP • Echographie
Occlusion du grêle	• Diffuse • Intensité forte	• Vomissements précoces • Arrêt du transit • Météorisme +	• ASP : NHA • TDM en 2nd
Occlusion colique	• Abdominale localisée • Intensité modéré	• Vomissements tardifs • Arrêt du transit • Météorisme	• ASP : NHA • TDM en 2nd

Notes personnelles

TRAUMATISME ABDOMINAL

201

- **Tout traumatisé abdominal est un polytraumatisé JPDC et inversement**
- **Traumatisme abdominal = Rupture hémorragique de rate JPDC**
- **Plaie pénétrante = exploration chirurgicale**
- **Bilan d'hémostase + préopératoire systématique**
- **Ne jamais ouvrir un hématome rétro péritonéal**

GENERALITES

- Définitions :
  - Contusions abdominales = traumatismes fermés des organes + peau → hémopéritoine
  - Plaie pénétrante = plaie dépassant le péritoine → exploration chirurgicale systématique
  - Plaie perforante = lésion d'un organe abdominal +/- creux → pneumopéritoine / septique
- Epidémiologie :
  - AVP dans 75% / homme jeune / mortalité = 30%
  - Rate = organe touché dans 50% → Pronostic vital engagé par choc hémorragique +++

CLINIQUE

- <u>Interrogatoire :</u>
  - Terrain = âge / ATCD / allergies / SAT-VAT
  - Traitement (anticoagulant) / toxique (alcool)
  - Anamnèse + heure dernier repas
  - Signes fonctionnels = douleur / syndrome hémorragique
- <u>Examen physique :</u>
  - Constantes vitales +/- test Hémocue®
  - Evaluation des axes vitaux :
    - Hémodynamique → PA (< 90) / FC (> 120) / signes de choc
    - Neurologique → Glasgow / pupilles / signes de localisation / HTIC
    - Respiratoire → FR (> 20/min) / SpO2 (< 90%) / tirage / cyanose / sueurs
  - Recherche de lésions associées :
    - Cutanées = plaie cutanée / SAT-VAT
    - Uro-digestives = défense / matité des flancs / BU → hématurie
    - Ostéo-articulaires = palpation du cadre osseux / déformations
  - Examen abdominal :
    - Hémopéritoine → matité des flancs / défense / contracture
    - Pneumopéritoine → tympanisme / défense
    - Toucher rectal → épanchement péritonéal / rectorragie

PARACLINIQUE

- <u>Bilan biologique de 1ère intention du polytraumatisé :</u>
  - Gp-Rh-RAI x2 déterminations
  - NFS / iono-créat / GDS-lactates

- Imagerie en urgence :
  - Radio thorax → hémothorax
  - Radio bassin → fracture
  - Echographie abdominale → hémopéritoine
  - TDM corps entier = « bodyscan » → seulement si patient hémodynamiquement stable +++ :
    - Recherche hémopéritoine / pneumopéritoine / lésions de la rate / foie / rein
  - Bilan spécifique en cas de suspicion de traumatisme abdominal :
    - Bilan hépatique = ASAT-ALAT / GGT / PAL / bilirubine
    - Bilan pancréatique = lipasémie / amylasémie +/- IRM pancréatique
  - Bilan pré thérapeutique / préopératoire

TRAUMATISME SPLENIQUE

- Clinique :
  - Tout traumatisme abdominal est une rupture de la rate JPDC
  - Signes d'hémopéritoine + douleurs en hypochondre gauche
  - Risque de rupture 2nd par rupture de l'hématome sous-capsulaire
  - Complication par choc hémorragique initial ou retardé
- Traitement :
  - Patient stable → traitement non chirurgical :
    - Embolisation artérielle sélective
  - Patient instable → traitement chirurgical en urgence :
    - Laparotomie / évacuation de l'hématome
    - Splénectomie d'hémostase + anatomopathologie
- Evolution post-splénectomie :
  - Complications :
    - Pancréatite aiguë post-traumatique
    - Thrombocytose
    - Infections à germes encapsulés
  - Education et prophylaxie post splénectomie :
    - Port d'une carte de splénectomisé
    - Consulter en urgence devant toute fièvre
    - Vaccination = pneumocoque / haemophilus / méningocoque + grippe
    - Antibioprophylaxie prolongée par oracilline pendant 5 ans (enfant) / 2 ans (adulte)

TRAUMATISME HEPATIQUE

- Clinique :
  - Traumatisme de l'hypochondre droit +/- dernières côtes
  - Hémopéritoine abondant → choc hémorragique / épanchement abdominal important
- Traitement :
  - Patient stable → Traitement médical conservateur
  - Patient instable → Traitement chirurgical par tamponnement péri hépatique par « packing » :
    - Si permet la visualisation et la sutures des lésions = Retrait du packing après
    - Si ne permet pas la visualisation des lésions = Packing laissé en place 24-48h
- Complications :
  - Choc hémorragique
  - Hémobilie / péritonite biliaire

Traumatisme Pancreatique

- Clinique :
  - Cas typique de chute de vélo sur le guidon
  - Douleurs épigastriques
- Complications :
  - Pseudo kystes
  - Fistule pancréatique
  - Pancréatite aiguë nécrotico-hémorragique
- Traitement :
  - Patient stable → traitement médical de la pancréatite aiguë
  - Patient instable / lésion canalaire → traitement chirurgical :
    - Traitement conservateur = suture / drainage si absence de lésion canalaire
    - Traitement endoscopique envisageable si lésion canalaire de la tête du pancréas
    - Sinon traitement non conservateur = pancréatectomie gauche ou DPC

Traumatisme du Tube Digestif

- Clinique :
  - Phase initiale asymptomatique → défense / trouble du transit secondaire
  - Cas typique de la ceinture de sécurité avec contusion du tube digestif
- Traitement chirurgical systématique :
  - Laparotomie médiane exploratrice
  - Suture simple ou résection + anastomose selon la gravité des lésions

Hematome Retro Peritoneal

- Clinique :
  - Traumatisme des reins / rachis / bassin
  - Tableau d'instabilité hémodynamique sans hémopéritoine
- Traitement = ne jamais ouvrir un hématome rétro péritonéal :
  - Patient stable → traitement non chirurgical :
    - Embolisation artérielle surtout si fracture du bassin
  - Patient instable → traitement chirurgical :
    - Traitement de la fracture du bassin / rachis par ostéosynthèse
    - Laparotomie + « packing » seulement si rupture de l'hématome rétro péritonéal

Plaie de l'Abdomen

- Clinique :
  - Recherche de l'agent responsable (taille / fragment intra abdominal)
  - Contexte médico-légal fréquent
  - Porte d'entrée / caractère pénétrant ou non / trajet / examen cutané complet
  - Exploration de la plaie +/- cœlioscopie exploratrice
- Traitement :
  - Plaie non pénétrante → suture simple
  - Plaie pénétrante → traitement chirurgical
    - Laparotomie / cœlioscopie (si patient stable) exploratrice
    - +/- suture / résection et anastomose

Notes personnelles

HEMORRAGIE DIGESTIVE

205

- **Urgence diagnostique et thérapeutique**
- **Hémorragie digestive haute et basse**
- **Etiologies hautes et basses**
- **Bilan pré transfusionnel**
- **EOGD en urgence si état stable +/- coloscopie**
- **Prise en charge hémodynamique**
- **Traitement étiologique**

GENERALITES

- Principale urgence en HGE
- Age médian = 70 ans, prédominant chez l'homme
- Causes hautes > causes basses
- Hémorragie digestive haute = lésion située en amont de l'angle de Treitz (= angle duodéno-jéjunal)
  - Hématémèse +++
  - Méléna
  - Voire rectorragie si hémorragie cataclysmique
- Hémorragie digestive basse = lésion située en aval de l'angle de Treitz
  - Rectorragie +++
  - Méléna

DIAGNOSTICS DIFFERENTIELS

- A toujours éliminer +++
  - Hémoptysie
  - Epistaxis
  - Vomissement alimentaire = vin rouge
  - Coloration des selles type charbon, supplémentation en fer

ETIOLOGIES

Causes Hautes	Causes Basses
• Ulcère gastroduodénal +++ → cataclysmique si atteinte de la face postérieure du bulbe • Rupture de varices œsophagiennes ou cardio-tubérositaire (dans le cadre d'une HTP) • Œsophagite, gastrite • Syndrome de Mallory-Weiss • Tumeurs gastriques • Ulcération de Dieulafoy • Wirsungorragie • Hémobilie	• Diverticulose +++ • Angiodysplasie colique +++ • CCR +++ ou polypes • Angiodysplasie grêlique • Colites ischémique, médicamenteuse, infectieuse, radique • MICI • Diverticule de Meckel • Tumeurs du grêle • Pathologies anales = fissures, hémorroïdes

CONDUITE A TENIR EN URGENCE

- Urgence diagnostique et thérapeutique → pronostic vital pouvant être engagé
- Clinique :
  - 1) Evaluation de la tolérance +++ :
    - TA, Fc, T°, diurèse, état de conscience → Signe de choc
    - Malaise, douleur thoracique (SdG)
    - Abondance du saignement
    - Terrain à risque = cardiopathie, anémie
    - Recherche de facteurs aggravants
  - 2) Eliminer les diagnostics différentiels (cf.)
    - Rhinoscopie
    - Auscultation pulmonaire
  - 3) Orientation étiologique :
    - Prise médicamenteuse (anti coagulant, AINS +++)
    - ATCD personnels de cirrhose, UGD, gastrite, œsophagite, cancer digestif
    - ATCD familiaux
    - Examen de la marge anal et TR
  - 4) Recherche d'une CI à l'EOGD :
    - Instabilité HD
    - Pneumopéritoine
    - Trouble de conscience, altération du score de Glasgow
- Paraclinique :
  - Sans retarder la prise en charge
  - NFS/plaquettes (hémocue en urgence)
  - Bilan d'hémostase
  - Bilan pré transfusionnel et préopératoire
  - ECG + troponine
- Thérapeutique :
  - Urgence +++
  - Appel du réanimateur
  - Contrôle de l'hémodynamique +++
  - Mise en condition :
    - Repos strict au lit et ½ assis
    - 2 VVP de bon calibre
    - Equilibre hydro électrolytique et expansion volémique
    - +/- drogues vaso-actives
    - Mise à jeun stricte
    - Pose d'un scope cardio-tensionnel
  - Oxygénothérapie
  - Pose d'une SNG avec IPP
  - Vidange gastrique par aspiration gastrique et/ou érythromycine IVL

Conduite a tenir quand etat stable

- Clinique :
  - Interrogatoire :
    - ATCD personnels et familiaux
    - Histoire de la maladie (circonstance de survenue)
    - SF associés
    - Prise médicamenteuse +++
  - Examen physique :
    - Signes de cirrhose (signes d'HTP et d'IHC + hépatomégalie)
    - TR +++ systématique
    - Examen clinique complet
- Paraclinique :
  - EOGD systématique +++ :
    - Etat HD stable
    - Après vidange gastrique (SNG en aspiration ou érythromycine)
    - Réalisée dans les 6h
    - Intérêts = diagnostique, pronostique et thérapeutique
  - Coloscopie :
    - Après préparation colique
    - Si EOGD ne retrouve rien
    - Systématique devant des rectorragies → éliminer une CCR
    - Totale avec biopsies (si possible)
  - TDM abdomino-pelvien
  - Artériographie
  - Exploration du grêle = vidéocapsule, entéro-TDM, entéroscopie
- Traitement spécifique étiologique (cf.)

Ulcere gastroduodenal

- Argument de fréquence +++
- Clinique :
  - Prise médicamenteuse type AINS ou anti coagulant
  - Hématémèse ou rectorragie ou méléna
  - Anémie possible
  - Facteurs de gravité = atteinte de la face postérieure du bulbe, tares, récidive hémorragique
- Paraclinique = EOGD +++ :
  - Classification de Forrest
  - Stade 1 = hémorragie active :
    - Ia = saignement en jet
    - Ib = suintements diffus
  - Stade 2 = hémorragie récente :
    - IIa = vaisseau visible non hémorragique
    - IIb = caillot adhérent
    - IIc = taches pigmentées
  - Stade 3 = pas d'hémorragie : Ulcère à fond propre
- Traitement :
  - Urgence

- Mise en condition
- Arrêt des facteurs favorisants → arrêt des gastro-toxiques +++
- Traitement médicamenteux :
  - Pose d'une SNG
  - ½ assis
  - IPP en bolus 80mg IVD puis en continue à forte dose 8mg/h IVSE
  - Vidange gastrique par érythromycine
- Traitement spécifique :
  - Endoscopique = sclérose, électrocoagulation (ou thermocoagulation), clip
  - Si échec = Traitement chirurgical : ablation et suture de l'ulcère (NPO envoi en anapath)
- NPO = Eradication d'HP +++ et traitement IPP pendant 8 semaines

RUPTURE DE VARICES SUR HTP

- Terrain = alcoolisme chronique, hémochromatose, hépatites virales, NASH
- Clinique :
  - Signes d'IHC = érythrose palmaire, angiomes stellaires, hippocratisme digital, astérixis...
  - Signes d'HTP = ascite, SPM, circulation veineuse collatérale abdominale
  - HPM
  - Hématémèse +/- méléna voire rectorragies
- Traitement :
  - Urgence thérapeutique
  - Mise en condition
  - Pose d'une SNG + IPP en bolus
  - Vidange gastrique par érythromycine
    - Traitement vaso-actif type sandostatine IV
  - Traitement spécifique :
    - Endoscopique avec ligature des VO +++
    - Si récidive = 2nd traitement endoscopique
    - Si nouvelle récidive = Hémorragie réfractaire → TIPS
  - Traitement prophylactique :
    - Prévention de l'infection du liquide d'ascite = ATB type norfloxacine
    - Prévention de l'encéphalopathie hépatique = Duphalac
    - Prévention des lésions de décubitus
    - Prévention du DT = vitaminothérapie + hydratation +/- BZD
  - Prévention 2nd de la récidive :
    - βBloquant
    - Ligature des VO asymptomatiques
    - +/- TIPS et transplantation hépatique
  - Prise en charge de la cirrhose +++

DIVERTICULOSE

- Argument de fréquence
- Clinique :
  - Rectorragies indolores, d'abondance modérée
- Traitement :
  - Hémostase endoscopique par injection de sérum adrénaliné et/ou pose d'un clip

Angiodysplasie

- = Anomalies vasculaires dégénératives avec dilations anormales des veines sous muqueuses
- Touche principalement le sujet âgé
- Colique > Grêlique
- Clinique :
  - Hémorragies extériorisées rares
  - Rectorragie > méléna
  - Anémie par carence martiale fréquente
- Paraclinique = Coloscopie :
  - Lésions planes rouges foncées, rondes de petites tailles
  - Plutôt niveau du colon droit ou du caecum
- Traitement :
  - Hémostase endoscopique si saignement actif ou récent
  - Sinon abstention thérapeutique

Resume Hemorragie Digestive

- 1) Affirmer le caractère digestif
- 2) Eliminer les diagnostics différentiels
- 3) Evaluation de la tolérance et de la gravité
- 4) Mesure de réanimation
- 5) Recherche étiologique = interrogatoire, examen physique dont TR
- 6) EOGD +/- coloscopie
- 7) Traitement étiologique

Notes personnelles

SYNDROME OCCLUSIF

217

- **Urgence médico-chirurgicale**
- **2 sièges et 3 mécanismes**
- **Siège + mécanisme + étiologie + SdG**
- **Evaluation de l'état général et de l'état d'hydratation**
- **ASP et TDM +++**
- **Recherche de SdG cliniques, biologiques et radiologiques**
- **Traitement :**
  - **Médical**
  - **Chirurgical**
  - **Etiologique**

GENERALITES

- Définition = Obstruction au passage du contenu intestinal
- Argument de fréquence
- Environ 10% des causes de syndromes douloureux abdominaux
- 75% au niveau du grêle / 25% au niveau du colon

PHYSIOPATHOLOGIE

- 2 localisations et 3 mécanismes d'occlusion
- Siège :
  - Grêle :
    - Le plus fréquent
    - Vomissements précoces
    - Arrêt des gaz et des matières tardifs
  - Colon :
    - Vomissements tardifs et fécaloïdes
    - Arrêt des gaz et des matières précoces
- Mécanismes :
  - Occlusion par obstruction :
    - Entraine un hyper péristaltisme intestinale
    - Distension intestinale 2nd à l'accumulation de gaz
  - Occlusion par strangulation :
    - Entraine un infarctus de la paroi créant une nécrose digestive
    - Risque de perforation important
  - Occlusion d'origine fonctionnelle :
    - 2nd à une baisse du péristaltisme
    - Distension importante
    - Création d'un 3ème secteur précoce et de volume pouvant être très élevé

Clinique

- Interrogatoire :
  - ATCD personnels chirurgicaux +++ (appendicectomie, laparotomie)
  - ATCD personnels médicaux (constipation, diverticulose, TFI)
  - Traitement en cours (iatrogénie)
  - SF +++ : Douleurs abdominales, vomissements (précoces ou non), arrêt des gaz et matières (précoces ou non), météorisme
- Examen physique :
  - Evaluation de l'état général +++
  - SG = TA, Fc, T°, état d'hydratation (recherche d'un pli cutanée) → signes de choc
  - Inspection :
    - Cicatrices +++
    - Météorisme
    - Ondulations péristaltiques
  - Palpation :
    - Douleurs provoquées
    - Défense / contracture
    - NPO palpation des orifices herniaires +++
  - Percussion :
    - Tympanisme
  - Auscultation :
    - Diminution des bruits hydro-aériques
  - TR (+/- TV) :
    - Fécalome ou ampoule rectale vide
    - Epanchement du cul de sac de douglas
    - Rectorragies

Obstruction	Strangulation	Fonctionnelle
• Douleur progressive à type de spasmes • Arrêt du transit progressif, précoce si colon, tardif si grêle • Vomissements dépendants du siège • Météorisme important si niveau du colon	• Douleur brutale et intense • Arrêt du transit rapide • Vomissements précoces et clairs • Météorisme important si niveau du colon	• Douleur progressive • Arrêt du transit rapide • Vomissements inconstants et clairs • Météorisme rare

Paraclinique

- Diagnostic positif :
  - ASP :
    - NHA centraux, plus larges que hauts, nombreux + valvules conniventes = Grêle
    - NHA périphériques, plus hauts que larges + haustrations coliques = Colon
    - Anse en U inversée = volvulus
    - Stase stercorale
    - Recherche d'un pneumopéritoine → péritonite sur perforation

- TDM abdomino-pelvien sans et avec injection et avec opacification digestive basse :
    - Meilleur examen +++
    - Diagnostic positif, étiologique et de gravité
- Diagnostic de gravité :
  - Ionogramme sanguin → recherche de troubles hydro électrolytiques (hypokaliémie+++)
  - Créatininémie, urée → recherche d'une IRA (2nd au 3ème secteur)
  - NFS/plaquettes
  - CRP
- Bilan pré opératoire
- Autres examens complémentaires :
  - Transit du grêle
  - Lavement opaque aux hydrosolubles

TRAITEMENT

- Urgence médico-chirurgicale +++
- Hospitalisation en urgence en chirurgie viscérale
- 1) Traitement médical :
  - Equilibre hydro électrolytiques
  - Hydratation
  - Jeun initial
  - Pose d'une SNG en aspiration + position ½ assis + IPP + compensation volémique
  - Traitement symptomatique par antalgiques et antispasmodiques
- 2) Traitement chirurgical :
  - Uniquement en cas de complications ou de SdG ou d'échec du traitement médical
  - Exploration de la cavité abdominale + prélèvements multiples
  - Lever de l'obstacle (parfois mise en place de stomie de décharge) +/- traitement étiologique
- 3) Traitement étiologique +++
- 4) Surveillance clinique et paraclinique

Signes de gravité = Chirurgie		
Cliniques	**Biologiques**	**Radiologiques**
• Vomissements fécaloïdes • Défense • Etat de choc • Fièvre • Douleurs intenses	• Acidose métabolique • Hyperleucocytose • CRP élevée • Lactates élevés	• Epaississement circonférentiel des anses • Dilatation caecum > 10 cm • Epanchement intra péritonéal • Pneumopéritoine • Aéroportie • Pneumatose pariétale • Absence de rehaussement de la paroi • Amincissement pariétal

Etiologies

Causes Grêliques		
Obstruction	**Strangulation**	**Fonctionnelle**
• Causes extrinsèques : - Carcinose péritonéale - Compressions externes (utérus fibromateux, ADP, kystes…) • Causes intra luminales : - Bézoards - Corps étrangers - Ascaris - Iléus biliaire / Syndrome de Bouveret • Causes pariétales : - Sténose paritélale non tumorale - Tumeurs grêliques	• Occlusion sur bride ou adhérences +++ (contexte ATCD de chirurgie abdo) • Hernie étranglée +++ • Invagination intestinale aiguë • Diverticule de Meckel → Nécrose intestinale fréquente = évaluation de la vitalité +++	• Ischémie mésentérique • HyperPTH • Hypothyroïdie • Toutes pathologies abdominales = Iléus réflexe

Causes Coliques		
Obstruction	**Strangulation**	**Fonctionnelle**
• Cancer colorectal +++ → A toujours éliminer • Diverticule • Fécalome (TR+++) • Corps étranger	• Volvulus du sigmoïde +++ : - Sujet âgé - Douleur FIG, météorisme - ASP = anse en U inversée - Lavement = ampoule rectale en « bec d'oiseau » - TTT médical = rectosigmoïdoscopie et tube de Faucher - TTT chirurgical à froid à 1 semaine = sigmoïdectomie + anastomose en 1 tps - Parfois, TTT chir en urgence = sigmoïdectomie avec stomie de protection • Volvulus du caecum	• Syndrome d'Ogilvie = pseudo occlusion colique aiguë (dilatation colique sans obstacle sur colon sain) : - Eliminer cause organique - Age > 60 ans - Contexte pathologique sévère - Distension abdominale importante et diffuse - ASP = distension colique - TDM = pas d'obstacle - TTT médical = Prostigmine en IV + tube de Faucher • Colite ischémique

Resume

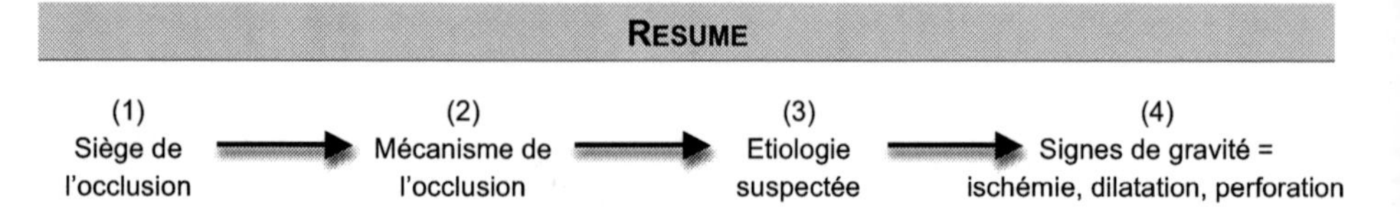

APPENDICITE DE L'ADULTE ET DE L'ENFANT

224

- **Douleur appendiculaire +++**
- **Traitement médico-chirurgical**
- **Jamais de pneumopéritoine +++**

GENERALITES

- Définition = inflammation aiguë de l'appendice
- Argument de fréquence
- Souvent diagnostiquée à tort
- 5 formes anatomopathologiques :
  - Catarrhale
  - Ulcéreuse
  - Abcédée
  - Gangréneuse
  - Phlegmoneuse
- 5 formes anatomiques :
  - Latéro-caecale +++
  - Rétrocaecale
  - Méso-coeliaque
  - Pelvienne
  - Sous hépatique

CLINIQUE

- Interrogatoire =
  - ATCD d'appendicectomie !!!
  - Douleur abdominale en FID souvent à départ épigastrique, brutale, d'évolution continue, sans irradiation
  - Iléus réflexe = nausées, vomissements
- Examen physique :
  - SG = fièvre (non systématique), tachycardie modérée, langue saburrale
  - Douleur provoquée à la palpation de la FID au niveau du point de Mac Burney
  - Signe de Bloomberg = douleur lors de la décompression FIG
  - Signe de Rosving = douleur lors de la décompression FID
  - Psoïtis inconstant
  - TV + TR

Rétro-caecale	Méso-coelique	Pelvienne	Sous hépatique
• Tableau de PNA • Douleur fosse lombaire droite • Psoïtis	• Tableau d'occlusion digestive fébrile	• Douleur hypogastrique • SFU • Syndrome rectal	• Tableau de cholécystite aiguë

PARACLINIQUE

- ATTENTION → Aucun n'examen complémentaire n'est indispensable ++++
- NFS/plaquette et CRP → Syndrome inflammatoire biologique
- TDM abdomino-pelvien sans et avec injection :
  - Epaississement de la muqueuse appendiculaire
  - Infiltration de la graisse péri appendiculaire
  - Recherche de complications
  - Eliminer les diagnostics différentiels
- Echographie abdominale → à préférer chez l'enfant et la femme enceinte :
  - Augmentation du diamètre de l'appendice
  - Paroi épaissie
  - Aspect en cocarde
  - Stercolithe fréquente
  - Elimine les diagnostics différentiels
  - Recherche de complications
- Bilan pré opératoire
- NB = ASP inutile car jamais de pneumopéritoine +++
- Eliminer les diagnostics différentiels (cf.) :
  - β HCG chez toute femme en âge de procréer
  - BU +/- ECBU

TRAITEMENT

- Urgence thérapeutique
- Hospitalisation en urgence en service de chirurgie
- Mise en condition :
  - VVP
  - Mise à jeun
  - Equilibre hydro électrolytiques
  - Cs anesthésie
  - Bilan pré opératoire
  - Autorisation parentale si mineur
- Traitement chirurgical = APPENDICECTOMIE :
  - Sous cœlioscopie
  - Prévenir du risque de laparotomie
  - Exploration de la cavité péritonéale +/- prélèvements
  - Appendicectomie + anapath de la pièce opératoire
  - Lavage et fermeture
- Traitement médical :
  - Antalgiques adaptés à l'EVA
  - Antispasmodiques
  - ATB en per opératoire
- Surveillance clinique et paraclinique
- NB : Traitement uniquement médical possible avec réévaluation à 6h si = T°>38°C ET absence de défense ET hyperleucocytose à PNN < 10 000

COMPLICATIONS

- Précoces :

Abcès appendiculaire	Plastron appendiculaire	Péritonite généralisée
• Douleur pulsatile en FID étendue dans le flanc droit et l'hypogastre • Iléus réflexe important • Palpation d'une masse en FID (rare) • Majoration du syndrome inflammatoire biologique • Imagerie +++ • Traitement médical + ponction/drainage + appendicectomie à distance	= Infiltration de la paroi abdominale et signes inflammatoires locaux • Examen physique aspécifique • Diagnostic fait au TDM : - Masse en FID - Engainant les anses grêles - Inflammation locale • Traitement médical initial et appendicectomie à distance	• Douleur abdominale intense en coup de poignard • Contracture avec « ventre de bois » • Majoration de la fièvre • TV et TR douloureux • Diagnostic clinique → Urgence chirurgicale +++ • Traitement (cf. chapitre)

- Liées à la chirurgie :
  - Complications liées à l'anesthésie
  - Abcès de paroi
  - Iléus postopératoire
  - Hématome intra abdominal
  - Abcès du cul de sac de Douglas
  - Péritonite généralisée sur lâchage de moignon
- A distance → Risque d'occlusion sur bride (ou d'éventration)

DIAGNOSTICS DIFFERENTIELS

- A toujours éliminer

Chez l'enfant	Chez l'adulte	
	Causes digestives	Causes extra-digestives
• Adénolymphite mésentérique +++ = diagnostic d'élimination - Fièvre à 39° - Contexte d'infection ORL récente - Pas de défense - Echo = ADP mésentérique • Invagination intestinale aiguë +++ - Signes vagaux - Evolution par crise - Echo + lavement	• Gastro-entérite aiguë • Diverticule de Meckel • Diverticulite • Syndrome occlusif • Maladie de Crohn • Iléite infectieuse • UGD • Cholécystite	• PNA → BU +++ • Colique néphrétique • GEU +++ → β HCG • Salpingite aiguë • Torsion d'annexe • Pneumopathie base droite • Purpura rhumatoïde

CIRRHOSE ET COMPLICATIONS

228

- **A rechercher chez tous patients atteints d'une pathologie hépatique chronique**
- **Processus diffus de fibrose mutilante avec destruction architecturale et nodules de régénération**
- **TOUTE ETIOLOGIE PEUT ETRE ASSOCIEE A UNE AUTRE**
- **TOUTE COMPLICATION PEUT EN CACHER UNE AUTRE**
- **Score de Child-Pugh +++**
- **PBH +++**
- **Bilan étiologique complet systématique**
- **Prévention +++**
- **NPO de prendre en charge le terrain**

GENERALITES

- 2nd aux maladies chroniques du foie
- Processus diffus de fibrose mutilante avec destruction architecturale et nodules de régénération
- Anatomopathologie :
  - Macroscopique :
    - Foie augmenté de volume (ou hypotrophie)
    - Bord inférieur dur et tranchant
    - Surface plutôt irrégulière
  - Microscopique :
    - Nodules de régénération
    - Fibrose
    - Lésions diffuses
- 2 conséquences cliniques :
  - Hypertension portale :
    - Bloc intra hépatique = compression des veines sus et intra hépatiques avec gêne du flux avec pour conséquences l'augmentation de pression porto-cave
  - Insuffisance hépatocellulaire :
    - Altération des fonctions de synthèse, d'épuration et biliaire

ETIOLOGIES

Etiologies Principales	Autres étiologies	
• Alcoolisme chronique • Hémochromatose génétique • Syndrome métabolique / NASH • Hépatites virales = Hépatites B et C	• Iatrogène • Maladie de Wilson • Cirrhose auto-immune • Cirrhose biliaire primitive • Cholangite sclérosante primitive	• Déficit de l' α1 antitrypsine • Mucoviscidose • Syndrome de Budd-Chiari • Foie cardiaque • Maladie de Gaucher

- NB = Toutes les étiologies doivent être recherchées et éliminées même si la cause principale est évidente !!!!

CLINIQUE

- 1) Hypertension portale :
  - Ascite
  - Splénomégalie (SPM)
  - Circulation veineuse collatérale abdominale
- 2) Insuffisance hépatocellulaire :
  - Erythrose palmaire
  - Astérixis
  - Ictère
  - Hippocratisme digital
  - Ongles blancs
  - Angiomes stellaires
  - Troubles sexuels / aménorrhée / infertilité
- 3) Palpation hépatique :
  - HPM ferme
  - Bord inférieur tranchant
  - Dysmorphique
- 4) Etiologies à rechercher :
  - Consommation d'alcool
  - Stigmates d'imprégnation alcoolique chronique
  - ATCD de transfusions
  - Conduites sexuelles ou addictives à risques
  - Poids, taille, IMC, HTA
  - ATCD familiaux d'hémochromatoses, de pathologies auto-immunes

PARACLINIQUE

- Diagnostic positif :
  - NFS/plaquettes → Hypersplénisme (anémie, neutropénie, thrombopénie)
  - BHC → hyper bilirubinémie conjuguée, transaminases augmentées, GGT et phosphatases alcalines augmentées (ATTENTION = un BHC normal n'élimine pas le diagnostic)
  - EPP → hyper gammaglobulinémie poly clonale avec aspect de bloc bêta gamma si alcoolisme
  - Bilan de coagulation → TP et facteur V diminués
  - Albuminémie → Hypo albuminémie
  - Echographie hépatique +++ :
    - Dysmorphie hépatique souvent HPM
    - Foie bosselé, nodulaire, hétérogène
    - Mise en évidence de l'HTP (diamètre veine porte > 12 mm)
    - SPM associée
  - PBH +++ :
    - Diagnostic de certitude +++
    - Souvent indispensable (sauf si hépatite C)
    - Voie trans pariétale ou trans jugulaire

- Diagnostic de gravité :
  - EOGD :
    - Varices œsophagiennes, gastriques ou cardio-tubérositaires et évaluation du stade
    - Gastrites alcooliques
  - Bilirubine totale, TP, Albuminémie + ascite et encéphalopathie hépatique (Score de Child)
  - αFP + écho → éliminer un CHC
  - Bilan rénal → syndrome hépato-rénale
- Diagnostic étiologique :
  - Bilan de 1ère intention → A toujours effectuer même si cause évidente :
    - NPO l'examen clinique +++
    - Infections virales = recherche d'Ag HBs, Ac anti-HBs, Ac Anti-HBc, Ac Anti-VHC +/- ADN virale B et ARN virale C (et Ac Anti-VHD)
    - Alcoolisme = VGM, GGT, phosphatases alcalines, transaminases, marqueur CDT
    - NASH = glycémie à jeun, bilan lipidique
    - Hémochromatose = ferritinémie et CST (+/- recherche de la mutation)
  - Bilan de 2nd intention :
    - Cuprumie, cuprurie, céruloplasminémie et examen ophtalmo
    - Ac anti muscles lisses, anti LKM 1 et anti noyaux
    - Ac anti mitochondrie
    - Alpha1 antitrypsine
- Evaluation du terrain :
  - Bilan ORL → cancer ORL
  - Bilan pulmonaire → BPCO (tabagisme souvent associé)
  - Autres IST

PRONOSTIC

- SCORE DE CHILD-PUGH +++
- « TABAC »

	1	2	3
TP %	> 50	40-50	< 40
Albumine g/L	> 35	28-25	< 28
Bilirubinémie µmol/L	< 35	35-50	> 50
Ascite	Absente	Ascite minime, contrôlée par les diurétiques	Ascite réfractaire, non contrôlée par les diurétiques
Cérébral (= encéphalopathie)	Absente	Astérixis, confusion, foetor hépaticus	Tb important de conscience, coma

- Gravité :
  - 5-6 points = Child A (compensée)
  - 7 à 9 points = Child B (décompensée)
  - > 10 points = Child C (décompensée)

TRAITEMENT

- Précoce / Multidisciplinaire / ALD 30, 100% / soutien psy / Information / Education +++

Traitement Etiologique	Traitement Préventif	Mesures associées
• Alcoolisme chronique = Sevrage définitif de l'alcool avec aide au sevrage, vitaminothérapie • Hépatite B et C = Traitement antiviral en fonction des indications (cf. chapitre) • Hémochromatose = Saignées (cf. chapitre) • NASH = Prise en charge des FdR CV	• Education thérapeutique +++ • Vaccination hépatites A et B • Vaccination grippe, pneumocoque • Lutte contre les conduites à risque • CI des hépatotoxiques • Régime sans sel (ascite) • Hygiène bucco-dentaire (infection d'ascite) • Varices = βbloquants, ligatures des varices	• Prise en charge nutritionnelle avec cs diététicienne • Terrain : - Arrêt du tabac, prise en charge d'une BPCO - Prise en charge neuropathies périphériques 2nd alcoolisme • Prise en charge sociale • Prise en charge des FdR CV

- <u>A part = Transplantation hépatique :</u>
  - Cirrhose Child C
  - CHC avec critères de Milan
  - Cirrhose virale compensée
  - NB : nécessité de sevrage alcoolique définitif > 6 mois
- <u>Surveillance :</u> Régulière +++
  - De la cirrhose :
    - Clinique et biologique
    - Signes d'IHC
    - Signes d'HTP
    - Score de Child Pugh (annuel)
  - Des complications :
    - αFP + écho tous les 6 mois → recherche de CHC +++
    - EOGD tous les 1 à 3 ans
    - Consultation ORL et stomato régulières
  - Du terrain :
    - Arrêt de l'alcool et des hépatotoxiques
    - Poids, taille

COMPLICATIONS

- = Cirrhose décompensée +++
- Toujours rechercher la cause de décompensation :
  - Infection +++
  - Hépatite alcoolique aiguë ou reprise d'une intoxication alcoolique
  - Hépatite médicamenteuse, virale
  - Iatrogénie +++
  - Thrombose portale
  - Ascite, infection d'ascite, hémorragie digestive haute, encéphalopathie hépatique, CHC (cf. chapitre), syndrome hépatorénal, cause pulmonaire

- ATTENTION → toute complication peut être la conséquence d'une autre complication
- Conduite à tenir devant une décompensation de cirrhose :
    - 1) Bilan systématique à la recherche de la cause de décompensation :
        - Recherche d'une encéphalopathie hépatique
        - Toucher rectal +++
        - BHC
        - αFP + écho
        - TP et fact V
        - Créatininémie
        - Bilan infectieux = NFS, CRP, BU, RP, hémocultures, ponction d'ascite +/- coprocultures
        - Recalculer le Child
    - 2) Prise en charge symptomatique et étiologique
    - 3) Prévention 2nd
    - 4) Surveillance

ASCITE

- Argument de fréquence chez le cirrhotique
- Multifactorielle :
    - 2nd à l'HTP
    - Hyper aldostéronisme avec rétention hydro sodée
    - Hypo albuminémie 2nd à l'IHC
- Clinique :
    - Prise de poids
    - Abdomen distendu, augmentation du périmètre abdominal
    - Diastasis des grands droits
    - Signe du Flot et du glaçon
    - Matité des flancs et tympanisme péri ombilical
    - OMI souvent associé → Décompensation oedémato-ascitique
- Paraclinique :
    - Bilan rénal et cardiaque (diagnostic différentiel)
    - Ponction de liquide d'ascite +++ :
        - En pleine matité
        - Du coté gauche
        - Prévention de l'infection d'ascite et de l'étranglement herniaire ombilical
        - Bilan biochimique, cytologique, bactériologique
- Traitement :
    - Hospitalisation en HGE
    - Traitement spécifique :
        - Arrêt de l'alcool, prévention du DT
        - Régime sans sel
        - Traitement par diurétiques type spironolactone +/- furosémide
        - Ponction évacuatrice si besoin = expansion volémique si > 2L et supplémentation en albumine si > 3L
        - Prévention des infections du liquide d'ascite +++ = norfloxacine PO
    - Traitement du facteur déclenchant
    - Prise en charge nutritionnelle
    - Surveillance +++ (poids, T° et EI des TTT)

- Forme réfractaire = ascite persistante ou récidivante malgré un traitement médical bien conduit (sous bithérapie) ou CI au traitement médical ou complications du traitement :
  - TIPS +++
  - Transplantation hépatique
  - Ponctions évacuatrices itératives
  - Régime désodé systématique

INFECTION DU LIQUIDE D'ASCITE

- Si PNN > 250/mm^3 dans le liquide d'ascite → suffit pour poser le diagnostic +++
- Le plus souvent par translocations de bactéries mais aussi d'origine nosocomiale
- Facteurs favorisants :
  - Hémorragie digestive +++ (à toujours rechercher) → TR indispensable
  - HAA
  - IHC sévère, cirrhose Child C
  - Protéines de l'ascite < 10 g/L
  - ATCD d'infection du liquide d'ascite
- Clinique :
  - Fièvre, AEG
  - Douleurs abdominales
  - Décompensation de cirrhose +++
- Paraclinique :
  - Ponction d'ascite
  - Bilan infectieux complet (Germe que dans 50% des cas (E.coli)
- Traitement :
  - Urgence thérapeutique
  - Hospitalisation le plus souvent en réa
  - Mise en condition
  - Traitement spécifique :
    - ATB large spectre, probabiliste, 2nd adaptée, IV, active sur les BGN et anaérobies
    - Type Augmentin pendant 7 jr
    - Perfusion d'albumine humaine
  - Prévention du syndrome hépatorénal = hydratation
  - Prévention de l'encéphalopathie hépatique = duphalac
  - Surveillance → Ponction d'ascite à 48h +++ (↓ de 50% des PNN)
  - Prévention 2nd +++ par norfloxacine PO (lutte contre les récidives)

HEMORRAGIE DIGESTIVE HAUTE

- cf. chapitre hémorragie digestive
- ATTENTION au risque d'infection d'ascite
- 2nd aux varices œsophagiennes ou à un ulcère gastroduodénal
- Varices → 3 stades :
  - 1) Varices disparaissant à l'exsufflation
  - 2) Varices ne disparaissant pas à l'exsufflation et non confluentes
  - 3) Varices ne disparaissant pas à l'exsufflation et confluentes

ENCEPHALOPATHIE HEPATIQUE

- Encéphalopathie métabolique sans lésions cérébrales organiques, liée à l'IHC
- ATTENTION aux diagnostics différentiels (hypoglycémie, métaboliques, neurologiques, toxiques)
- Clinique :
  - Eliminer une prise de psychotropes
  - Trouble de la conscience + personnalité
  - Troubles neurologiques
  - Astérixis, foetor hépaticus
- Paraclinique = Bilan systématique :
  - NFS/Plaquettes, CRP
  - TP, fact V
  - Alcoolémie
  - Ionogramme sanguin, urée, créatininémie
  - BHC
  - Bilan infectieux
  - Recherche de toxiques sanguins et urinaires
  - Glycémie
  - TDM cérébrale +++ → élimine une cause organique
  - EEG
- Traitement :
  - AUCUN TRAITEMENT SPECIFIQUE
  - Traitement du facteur déclenchant
- Prévention 1ère par Duphalac

SYNDROME HEPATO-RENAL

- Il s'agie d'une IRA fonctionnelle 2nd à une vasoconstriction rénale pré glomérulaire et donc une hypo perfusion rénale
- Définit par des critères majeurs (obligatoires) et des critères mineurs (non obligatoires)
- Critères majeurs :
  - Créatininémie > 130 µmol/L ou clairance < 40 ml/min
  - Absence d'autre cause d'IRA
  - Absence d'amélioration après expansion volémique et arrêt des néphrotoxiques
  - Protéinurie < 0,5 g/24h et absence de causes obstructives
- Critères mineurs :
  - Diurèse < 500 ml/24h
  - Natriurèse < 10 mmol/L
  - Natrémie < 130 mmol/L
  - Osmolarité urinaire > plasmatique
- Paraclinique = Eliminer les autres causes d'insuffisances rénales
- Traitement :
  - Hospitalisation en urgence en réanimation
  - Remplissage vasculaire
  - Traitement par terlipressine + perfusion d'albumine
  - Transplantation hépatique
- Prévention 1ère +++

HEPATITE ALCOOLIQUE AIGUË (HAA)

- Toujours y penser dans un contexte d'alcoolisation
- Variabilité clinique = de la forme mineure à la forme grave
- Clinique :
    - Hépatalgie
    - Fièvre
    - Ictère
    - Alcoolisation
    - +/- encéphalopathie hépatique
- Paraclinique :
    - Hyperleucocytose +++
    - LDH augmenté +++
    - Cytolyse hépatique prédominante sur les ASAT +/- cholestase
    - Bilirubine augmentée et TP bas
    - Echo hépatique = recherche d'une hépatopathie sous jacente
    - PBH +++ (diagnostic positif) :
        - Lésions de cirrhose
        - Corps de Mallory
        - Infiltrat de PNN
        - Souffrance hépatocytaire avec hépatocytes nécrosés et ballonisés
- Traitement :
    - Symptomatique
    - Corticothérapie uniquement si forme grave :
        - Encéphalopathie hépatique
        - et/ou Score de Maddrey > 32 ++++
        - Objectif = diminution de 30% de la bilirubine à J8

RESUME CIRRHOSE

- Prise en charge diagnostique :
    - 1) Evoquer le diagnostique devant la clinique
    - 2) Bilan biologique + échographie hépatique + FOGD +/- PBH
    - 3) Recherche étiologique
    - 4) Bilan de gravité = Score de Child-Pugh
- Prise en charge thérapeutique :
    - 1) Dépister le CHC
    - 2) Dépister et prévention des complications
    - 3) Traitement étiologique
    - 4) Prise en charge des co morbidités
    - 5) Mesures associées :
        - Nutrition
        - Vaccinations
        - Dépistages des pathologies associées
        - Arrêt de l'alcool et des hépatotoxiques

COLOPATHIE FONCTIONNELLE

229

- **Argument de fréquence**
- **Diagnostic d'élimination**
- **Critères de ROME III**
- **Recherche d'arguments pour une organicité → éliminer un CCR**
- **Diagnostic clinique mais bilan complémentaire minimal au moindre doute**
- **Coloscopie si signes d'alarme**
- **Traitement :**
  - **Réassurance**
  - **Régularisation du transit**
  - **Surveillance**

GENERALITES

- = Troubles fonctionnels intestinaux (TFI)
- Argument de fréquence
- Concerne 15 à 20% de la population
- Affection chronique, bénigne
- Touche principalement les femmes
- Début précoce vers 30 ans

PHYSIOPATHOLOGIE

- Mal connue
- Multifactorielle +++
  - Trouble de la mobilité intestinale
  - Hypersensibilité viscérale
  - Phénomènes immunologiques = 2nd à une gastro-entérite infectieuse
  - Rôle des neuromédiateurs
  - Troubles psychologiques en particulier stress, anxiété
  - Altération de la flore digestive

CRITERES DE ROME III

- Symptômes depuis > 6 mois, présents de manière continue depuis > 3 mois +++ avec douleur abdominale + ballonnement + trouble du transit
- En absence de signes d'organicité
- 5 entités :
  - Syndrome de l'intestin irritable +++ :
    - Douleur ou inconfort abdominal
    - Soulagée par la défécation
    - Associée à une modification de la consistance des selles
    - Associée à une modification de la fréquence des selles
  - Ballonnements fonctionnels

- Constipation fonctionnelle : (au moins 2 parmi)
    - Effort de poussée > 25% des défécations
    - Selles dures > 25% des défécations
    - Sensation de blocage > 25% des défécations
    - Sensation d'évacuation incomplète > 25% des défécations
    - Nécessité de manœuvres manuelles > 25% des défécations
    - < 3 selles/semaines
- Diarrhée fonctionnelle :
    - Selles liquides > 75% des défécations
    - Absence de critères du syndrome irritable
- Troubles intestinaux fonctionnels non spécifiques

CLINIQUE

- SF au 1er plan :
    - Douleurs abdominales à types de crampes, volontiers soulagées par l'émission de gaz ou de selles, prédominant en FIG, non fixes, intensités variables
    - Ballonnements abdominaux
    - Troubles du transit = constipation, diarrhée, alternance
- Examen physique pauvre (NPO palpation de la thyroïde)
- TR systématique +++
- En faveur d'une bénignité :
    - Début précoce
    - Fluctuation des symptômes
    - Diminution lors des vacances et le WE
    - Augmentation lors des périodes de stress
- Recherche de signes d'alarme en faveur d'une organicité +++
    - Début après 50 ans
    - ATCD familiaux de CCR ou de polype
    - AEG avec amaigrissement
    - Fièvre
    - Rectorragies spontanées ou au TR
    - Méléna
    - Signes d'anémie
    - ADP

PARACLINIQUE

- Prescription d'examens complémentaires non systématiques
- Bilan minimal souvent prescrit :
    - NFS/plaquettes
    - CRP
    - Ionogramme sanguin avec calcémie
    - Glycémie à jeun
    - TSH
    - +/- recherche d'anticorps anti-transglutaminase (recherche de maladie cœliaque)

- Coloscopie +++ :
    - Totale, avec biopsies de toutes lésions retrouvées
    - Indications :
        - Signes d'alarme (AEG, anémie ferriprive, rectorragies, méléna, syndrome rectal…)
        - ATCD familiaux ou personnels de polype ou CCR
        - Début tardif après 50 ans
        - Apparition récente ou modification du transit récente
- Bilan de diarrhée chronique (cf. chapitre)

TRAITEMENT

- 2 composantes principales +++ :
    - Réassurance
    - Régularisation du transit
- 1) Réassurance :
    - Informations +++
    - Pathologie fréquente mais bénigne
    - Importance de la relation patient/médecin
- 2) Régularisation du transit :
    - aucune restriction alimentaire
    - RHD
    - Constipation = laxatifs osmotiques (CI ai laxatifs irritants)
    - Diarrhée = smecta, tiorfan, lopéramide
- 3) Traitements associés :
    - Soutien psychologique
    - Relaxation
    - Antalgique et antispasmodique
- 4) Surveillance (au moindre doute sur un CCR → refaire la coloscopie)

DIVERTICULOSE COLIQUE ET SIGMOÏDIENNE

234

- **Argument de fréquence**
- **TOUTE DOULEUR DE FIG EST UNE DIVERTICULITE JUSQU'A PREUVE DU CONTRAIRE**
- **Bénin +++**
- **Tableau clinique d'appendicite à gauche**
- **TDM abdomino-pelvien avec injection et avec opacification digestive basse**
- **Traitement médical initial +/- traitement chirurgical à froid**
- **Coloscopie systématique à 6 semaines → éliminer un CCR +++**

GENERALITES

- Argument de fréquence
- Prévalence = 25-35% de la population
- Augmentation avec l'âge
- Bénin +++
- Jamais au niveau rectal
- Définition :
    - Diverticule = Hernie de muqueuse et de sous muqueuse colique à travers une zone de faiblesse de la paroi musculaire du colon
    - Diverticulose = Etat asymptomatique
    - Diverticulite = Etat pathologique (infections/inflammation d'un diverticule)
- Facteurs protecteurs :
    - Régime alimentaire riche en fibres
    - Activité physique
- Facteurs favorisants :
    - Age élevé > 50 ans
    - Mode de vie occidental
- Facteurs favorisants :
    - Prise d'AINS

CLINIQUE (DIVERTICULITE)

- Localisation au niveau du sigmoïde = Sigmoïdite
- Mime un tableau d'appendicite du coté gauche :
    - Douleur abdominale brutale +/- intense en FIG
    - Signes digestifs = nausées, vomissements
    - Troubles du transit variables
    - +/- SFU mais BU négative
- Examen physique :
    - Fièvre
    - Douleur provoquée +/- défense en FIG
    - TR = recherche d'un cri du Douglas, d'un épanchement, masse
    - Recherche de signes de gravité

PARACLINIQUE

- Biologie :
  - NFS/plaquettes, CRP → syndrome inflammatoire biologique
  - Bilan infectieux systématique :
    - Hémocultures aéro et anaérobies
    - BU +/- ECBU
  - Bilan préopératoire = Gp, Rh, RAI, iono, urée, créat, RP
- TDM abdomino-pelvien sans et avec injection de produit de contraste et opacification digestive basse +++ en coupe fine :
  - Diagnostic positif :
    - Images d'additions aériques en rapport avec les diverticules
    - Epaississement de la paroi colique +/- rehaussement
    - Infiltration de la graisse péri diverticulaire
  - Elimination de diagnostic différentiel
  - Recherche de complications
- Coloscopie +++ à distance de la poussée (à 6 semaines) → éliminer un CCR = INDISPENSABLE

COMPLICATIONS

- Récidives +++ → fréquente : 1 poussée = 50% de risque de récidiver
- Péritonite généralisée (cf. chapitre) :
  - Clinique :
    - Contracture généralisée (ventre de bois)
    - Choc hémodynamique et septique
  - Paraclinique :
    - ASP = pneumopéritoine +++
    - TDM = diagnostique positif et étiologique
- Abcès péri sigmoïdien :
  - Clinique :
    - Douleur abdominale intense avec fièvre élevée
    - Masse abdominale en FIG fluctuante
    - Echec du traitement médical
  - Paraclinique :
    - TDM = collection liquidienne hypo dense, rehaussement de la paroi +/- NHA
- Fistule diverticulaire :
  - Clinique :
    - Dépendant de la localisation
    - Colo vésicale = infections urinaires récidivantes à germes multiples et SFU dont fécalurie et pneumaturie
    - Colo vaginale = infections génitales récidivantes à germes multiples surtout BGN, leucorrhées sales, émission de gaz par le vagin
  - Paraclinique :
    - TDM avec opacification basse
- Sténose colique :
  - Clinique :
    - Douleur abdominale +/- chronique
    - Syndrome occlusif, trouble du transit type constipation +/- syndrome de Koënig

- Paraclinique :
    - TDM abdomino-pelvien avec injection
    - Lavement aux hydrosolubles (sténose centrale, longue, régulières)
    - Coloscopie totale avec biopsies
- Toujours éliminer un CCR
- Hémorragie digestive d'origine diverticulaire (cf. chapitre)

TRAITEMENT

- Diverticulose = Asymptomatique +++ :
    - Abstention thérapeutique
    - Régime riche en fibres
    - Prise en charge des troubles du transit
- Diverticulite non compliquée :
    - Hospitalisation en chirurgie viscérale
    - Possibilité de prise en charge ambulatoire sous conditions (patient compliant, pas de complications...)
    - Traitement médical :
        - VVP, repos au lit, hydratation et équilibre hydro électrolytique
        - Mise à jeun initiale pendant 48H
        - Puis reprise de l'alimentation avec régime sans résidu +++
        - ATB +++ probabiliste, IV, active sur les BGN et anaérobies, large spectre, 2nd adaptée de type Augmentin ou C3G + Flagyl ou FQ + Flagyl pendant 7 à 10 jr, en absence de CI
        - Traitement symptomatique = antalgiques et antispasmodiques
        - CI aux AINS
    - Traitement chirurgical :
        - APRES COLOSCOPIE SYSTEMATIQUE +++ avec biopsies → élimine un CCR
        - A distance d'une poussée → dite à froid
        - Sigmoïdectomie emportant la charnière recto sigmoïdienne, par cœlioscopie, rétablissement de la continuité en 1 temps
        - Anapath de la pièce opératoire
        - Indications = 1ère poussée compliquée, 1ère poussée avant 50 ans ou si ID, récidives fréquentes (discuter au cas par cas)
    - Surveillance
- Diverticulite compliquée :
    - Toute complication est une indication à une sigmoïdectomie MAIS devra être si possible effectuée à distance +++
    - Péritonite généralisée → cf. chapitre

Abcès péri sigmoïdien	Fistule diverticulaire	Sténose colique	Hémorragie diverticulaire
• Traitement médical si < 5 cm • Si > 5 cm ou si échec du TTT médical = Drainage de l'abcès : - Radiologique = ponction percutanée sous TDM ou écho - Chirurgical = sigmoïdectomie rétablissement à distance	• Traitement chirurgical à distance si possible avec sigmoïdectomie + traitement de la fistule	• Traitement endoscopique avec mise en place d'une endoprothése • Traitement chirurgical si doute avec CCR • Traitement médical associé +++	• Après stabilisation hémodynamique • EOGD + anuscopie pour éliminer un diagnostic différentiel • TDM avec injection • Coloscopie totale après préparation pour traitement endoscopique • Si échec ou impossible : - Embolisation sélective - Chirurgie d'hémostase

HEMOCHROMATOSE PRIMITIVE

- **Maladie génétique autosomique récessive, pénétrance incomplète et expression variable**
- **Mutation C282Y et H63D, gène HFE-1**
- **Surcharge en fer → dépôt dans de multiples organes (foie, cœur, pancréas, hypophyse, OA)**
- **Consultation de génétique, bilan familial, arbre généalogique systématique**
- **Prise en charge multidisciplinaire :**
  - **Traitement d'attaque et d'entretien**
  - **Saignées**
  - **Prévention des complications**
  - **Surveillance**

GENERALITES

- Dite « hémochromatose primitive génétique héréditaire homozygote symptomatique »
- Maladie autosomique récessive
- Pénétrance incomplète
- Expression variable
- Prévalence :
  - Hétérozygotes = 10/100
  - Homozygotes = 3/1000
- Valeurs biologiques normales :
  - Fer sérique = 12-24 µmol/L
  - Ferritinémie = 20-200 femme et 30-300 homme
  - CST = 30-40%

PHYSIOPATHOLOGIE

- Anomalie du métabolisme du fer
- 2nd à la mutation C282Y (ou H63D) du gène HFE-1 situé sur le chromosome 6
- Codant de façon normale pour une protéine HFE qui régule l'entrée digestive du fer
- La mutation entraine une augmentation excessive de l'absorption du fer → Surcharge
- Diagnostics différentiels :

Hémochromatoses secondaires	Fausses hyper ferritinémies
• 2nd aux transfusions répétées (hémopathies) • Hépatosidérose dysmétabolique 2nd à un syndrome métabolique (CST normal) • Hépatopathies virales ou alcooliques	• Cytolyse hépatique • Hémolyse • Rhabdomyolyse • Ethylisme chronique

CLINIQUE

- Différents stades (cf. plus bas)
- Touche l'homme jeune de 30-50 ans ou la femme ménopausée (les femmes sont touchées plus tardivement car elles sont protégées par les saignements menstruels)

- Origine bretonne
- Rechercher d'ATCD familiaux d'hémochromatose, de troubles hépatiques, de diabète → enquête génétique obligatoire (arbre généalogique)
- Examen physique = recherche de toutes les localisations possibles :
  - Forme mineure :
    - Signes généraux = Asthénie
    - Signes cutanés = Mélanodermie dite « sale » (grisâtre)
    - Signes articulaires = CCA, arthralgies, ostéoporose
  - Forme majeure :
    - Signes hépatiques = cirrhose, IHC, hépatomégalie, CHC
    - Signes cardiaques = insuffisance cardiaque sur cardiomyopathies dilatées ou restrictives, troubles du rythme et de la conduction
    - Signes endoc = diabète secondaire, atteinte gonadique (impuissance, atrophie testiculaire, stérilité, aménorrhée)

PARACLINIQUE

- Diagnostic positif :
  - Bilan du fer :
    - Ferritinémie augmentée > 200 (ou 300)
    - CST élevé > 45%
  - Recherche de la mutation C282Y du gène HFE-1 après information et consentement écrit
- Retentissement :
  - Evaluation de la surcharge hépatique en fer = IRM hépatique :
    - Hypo signal T2 du foie
    - recherche de CHC
  - Retentissement cardiaque :
    - ECG
    - Echographie cardiaque
    - Radio du thorax
    - Bilan de FdR CV
  - Retentissement pancréatique :
    - Glycémie à jeun
  - Retentissement gonadique :
    - Testostéronémie
    - Oestradiolémie
  - Retentissement hépatique :
    - Bilan hépatique complet (cytolyse minime sur les ALAT)
    - Echographie hépatique
  - Retentissement ostéo-articulaire :
    - Radiographie standard des articulations douloureuses
    - Ostéodensitométrie
- NB : La PBH n'est pas systématique = Indiquée si
  - Augmentation persistante des transaminases
  - Hépatomégalie
  - Ferritinémie > 1000
  - Alcoolisme chronique ou autres hépatopathies
  - Suspicion de cirrhose (IHC + HTP)

PRISE EN CHARGE THERAPEUTIQUE

- Prise en charge multidisciplinaire
- ALD 30 / 100% / soutien psy
- Pas de traitement curatif
- Traitement spécifique = Saignées +++ :
  - Pour les stades 2,3 et 4
  - En milieu hospitalier
  - Objectif = ferritinémie < 50 μg/L et Hb > 11 g/dL
  - Phase d'induction = saignées hebdomadaires de 500 ml jusqu'à l'objectif
  - Phase d'entretien = saignées tous les 3 mois pour maintenir l'objectif → A vie +++
  - Surveillance régulière :
    - Tolérance (clinique et paraclinique) = TA, Fc, signes d'anémie, NFS/plaquette (à J8)
    - Efficacité = ferritinémie mensuelle
  - CI aux saignées :
    - Hb < 11 g/dL
    - Thalassémie majeure
    - Cardiopathie sévère ou décompensée
- Alternatives à la saignée :
  - Chélateur du fer
  - Erythraphérèse
- Prise en charge des complications
- Prévention des complications :
  - Vaccination hépatites A et B
  - Sevrage alcoolique
  - CI des hépatotoxiques
  - CI des supplémentations en vitamine C et en fer
  - Prévention de l'ostéoporose
- Consultation de génétique :
  - Information claire loyale et appropriée
  - Consentement éclairé et écrit
  - Arbre généalogique
  - Enquête familiale
  - Information de la famille par le patient (secret professionnel)
  - Dosage CST et recherche de la mutation après 18 ans
- Surveillance :
  - De l'activité de la maladie :
    - Examen clinique
    - Dosage de la ferritinémie et du CST
  - Des complications :
    - Cirrhose = bilan hépatique complet, écho hépatique, EOGD
    - CHC = écho hépatique et αFP
    - Diabète = glycémie à jeun
    - Cardiaque = ECG régulier

	Stade 0	Stade 1	Stade 2	Stade 3	Stade 4
Clinique	Asymptomatique	Asymptomatique	Asymptomatique	Pronostic fonctionnel : Forme mineure	Pronostic vital : Forme majeure
CST	< 45%	> 45%	> 45%	> 45%	> 45%
Ferritinémie	Normale	Normale	> 200-300	> 200-300	> 200-300
Prise en charge	Surveillance clinique et paraclinique tous les 3 ans	Surveillance clinique et paraclinique tous les ans	Bilan des complications + saignées + surveillance	Bilan et traitement des complications + saignées + surveillance	Bilan et traitement des complications + saignées + surveillance

SYNTHESE

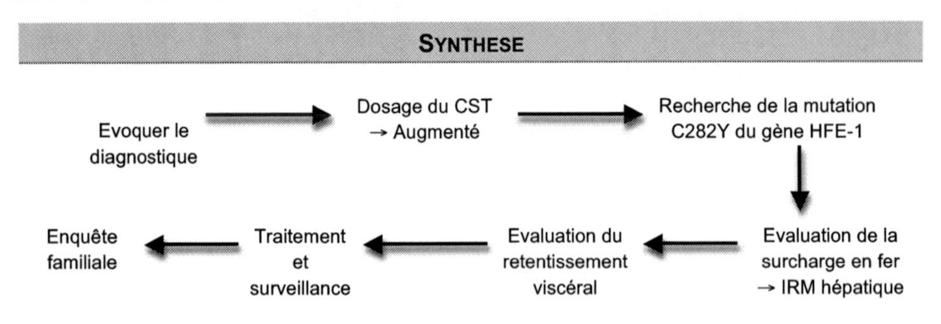

HERNIE PARIETALE

245

- **Asymptomatique le plus souvent**
- **Tuméfaction indolore, réductible et expansive à la toux ou à l'effort**
- **Etranglement herniaire : tuméfaction douloureuse, non réductible, non impulsive = Urgence**
- **Traitement = abstention thérapeutique +++, chirurgie, correction des FdR**

GENERALITES

- Définition = franchissement d'une zone de faiblesse de la paroi abdominale (dit « orifice herniaire ») par un sac péritonéal (dit « sac herniaire »)
- Pathologie fréquente, incidence évaluée > 170 000/an
- 3 types d'hernies :
  - Hernie de l'aine = franchissement du fascia transversalis :
    - Hernie inguinale = passage au dessus de la ligne de Malgaigne (directe = acquise ou indirecte = congénitale)
    - Hernie crurale = passage en dessous de la ligne de Malgaigne
  - Hernie ombilicale = distension de l'orifice ombilical :
    - Congénitale chez l'enfant
    - Acquise chez l'adulte (ascite+++)
  - Hernie de la ligne blanche = passage entre les muscles grands droits
- Diagnostics différentiels :
  - Eventration = issue à travers un orifice naturel
  - Eviscération = issue de viscères sans péritoine
  - ADP, tumeurs, varicocèle, testicule ectopique…

FACTEURS DE RISQUE

- Age, obésité
- Hyperpression abdominale = « ABCDEFG » :
  - Ascite
  - BPCO
  - Constipation
  - Dysurie
  - Enceinte
  - Force (travail pénible, efforts répétés)
  - Gros (obésité) et Grossesse
- Cirrhose, ascite, dialyse péritonéale (pour les hernies ombilicales)

CLINIQUE

- Peu de SF (parfois gêne au niveau de la tuméfaction)
- Examen physique = bilatéral, comparatif, debout, en décubitus dorsal, avec efforts de poussées :
  - Tuméfaction indolore, réductible et impulsive à la toux +++
  - Palpation du contenu herniaire = bruits hydro-aériques si contenu digestif

- Palpation de tous les orifices herniaires
- Hernie ombilicale = ombilic déplissé et anneau ombilical élargi
- NPO le TR +++

PARACLINIQUE

- Diagnostic clinique +++
- Pas d'examens complémentaires

COMPLICATIONS

Etranglement herniaire	Engouement herniaire	Troubles cutanés
• URGENCE THERAPEUTIQUE +++ • Strangulation du contenu herniaire • Clinique : - Prodrome à type d'engouement herniaire - Douleur brutale, intense, non réductible, non impulsive - +/- syndrome occlusif • Aucun examen complémentaire • Traitement chirurgical en urgence : - Dissection du sac, exploration du contenu - Section du collet - Vérification de la vitalité +/- résection - Réintégration du contenu - Réfection SANS MATERIEL = → Risque infectieux important +++	= Etranglement herniaire à minima • Tuméfaction indolore • Difficilement réductible → Risque majeur d'étranglement herniaire = indication chirurgicale en URGENCE +++	• En particulier pour les hernies ombilicales → Risque de rupture ombilicale

TRAITEMENT

- Abstention thérapeutique si absence de gêne +++
- Prise en charge des FdR +++
- Traitement curatif par chirurgie :
  - Indications :
    - Hernie compliquée
    - Hernie symptomatique
  - Méthodes :
    - Laparotomie ou laparoscopie
    - Dissection du sac herniaire
    - Section du collet herniaire
    - Examen minutieux et réintégration du contenu herniaire
    - Raphie ou plastie pariétale (sous asepsie et sous ATB prophylaxie)
- Hernie ombilicale de l'adulte (le plus souvent chez le cirrhotique) :
  - Pansement compressif préventif lors des ponctions d'ascite
  - Chirurgie si ATCD d'étranglement herniaire (mais à éviter devant le risque infectieux)
- Hernie ombilicale de l'enfant :
  - Abstention thérapeutique car réduction spontanée le plus souvent
  - Indication chirurgicale si absence de réduction après 4-5 ans

LITHIASE BILIAIRE ET COMPLICATIONS

258

- **Lithiases de la VBP, du cholédoque ou du canal cystique**
- **Pathologies très fréquentes**
- **Signe de Murphy clinique ou échographique**
- **Echographie abdominale +++ et Bili-IRM (pour la VBP)**
- **Recherche et correction des FdR**
- **Cholécystectomie + Anapath systématique à distance**

GENERALITES SUR LES LITHIASES VESICULAIRES

- Argument de fréquence
- 50 000 à 100 000 pour 1 million d'habitants
- Touche préférentiellement la femme
- Pic vers 60 ans
- 3 types de lithiases :
  - Lithiases cholestéroliques (le plus fréquent)
    - Sursaturation de la bile en cholestérol
    - Cristallisation → constituant le sludge
    - Agglomération des cristaux en calculs
  - Lithiases pigmentaires = liées à l'infection de la bile
  - Lithiases médicamenteuses (rares)
- Lithiases asymptomatiques = abstention thérapeutique

FACTEURS DE RISQUE

- « OH FAMME »
- Obésité, sédentarité
- Hypertriglycéridémie, régime hypercalorique
- Femme, Famille (ATCD)
- Age > 60 ans
- Multiparité et grossesse
- Maladie iléale et mucoviscidose
- Estrogènes et médicaments (iatrogénie)

COLIQUE HEPATIQUE

- = Mise en tension brutale de la VB par l'enclavement d'une lithiase dans le canal cystique
- Clinique :
  - Douleur typique +++ :
    - Brutale
    - Spasmodique à type de crampe
    - Epigastrique (+/- HCD) irradiant vers l'omoplate droite
    - **Durée < 6h** +++
    - Bloque l'inspiration profonde lors de la palpation = Signe de Murphy

- ATTENTION → Pas de fièvre, pas de défense abdominale, pas d'ictère
- Facteurs favorisants fréquents = repas copieux, stress, alcool

- Paraclinique :
  - Pas de syndrome inflammatoire +++
  - Pas de modifications du bilan hépatique +++
  - Echographie hépatique :
    - Vésicule augmentée de volume
    - Parois vésicales fines
    - VBP normales
    - Murphy échographique
    - Calcul hyper échogène avec cône d'ombre postérieur, mobile
  - NPO d'éliminer les diagnostics différentiels (BU, ECG…)
- Traitement :
  - Ambulatoire avec retour à domicile après sédation de la douleur
  - Traitement médical par antalgique PO en cure courte
  - Traitement chirurgical = A distance +++ :
    - Cholécystectomie + anapath de la pièce opératoire
    - Cholangiographie per opératoire associée sous couverture ATB
  - Prise en charge des FdR

CHOLECYSTITE AIGUË

- = Infection de la vésicule biliaire 2nd à un obstacle lithiasique dans le canal cystique
- ATTENTION aux autres étiologies (compression extrinsèques / causes pariétales)
- Clinique :
  - ATCD de colique hépatique ou lithiase biliaire asymptomatique connue
  - Douleur typique de **durée > 6h**
  - Signe de Murphy
  - Défense abdominale
  - Fièvre
  - Pas d'ictère +++ (sauf si angiocholite associée = syndrome de Mirizzi)
- Paraclinique :
  - Pas de modifications du bilan hépatique
  - NFS/plaquettes et CRP → syndrome inflammatoire biologique
  - Bilan infectieux (hémocultures) → germes rarement retrouvés
  - Bilan préopératoire
  - Echographie abdominale :
    - Augmentation du volume vésiculaire, distendue
    - Parois épaissies avec aspect feuilleté en double contours
    - Parfois sludge vésiculaire = bile hyper échogène
    - Calcul hyper échogène avec cône d'ombre visible
    - VBP normale
  - TDM abdo si doute
  - Eliminer les diagnostics différentiels
- Complications :
  - Abcès sous hépatique (AEG, hoquet +++, coupole diaphragmatique surélevée à l'ASP)
  - Cholécystite gangréneuse
  - Péritonite

- Traitement :
  - Hospitalisation en urgence en chirurgie
  - Mise en condition :
    - VVP
    - Repos au lit
    - A jeun
    - Cs anesthésie
    - Bilan pré opératoire
    - Oxygénothérapie SB
    - Equilibre hydro électrolytique
  - Traitement médical :
    - ATB en urgence IV, probabiliste, 2nd adaptée, active sur les BGN et anaérobies de type Augmentin ou C3G + Flagyl (+/- aminoside si sepsis sévère)
    - Antalgiques adaptés à l'EVA
    - Antispasmodiques
  - Traitement chirurgical :
    - Dans les 24-48h (lors de la même hospitalisation)
    - Cholécystectomie + anapath de la pièce opératoire
    - Cholangiographie per opératoire associée sous couverture ATB

CHOLECYSTITE CHRONIQUE

- = Conséquence de la succession de cholécystite à bas bruit non traitées
- Plusieurs types de manifestations :
  - Vésicule porcelaine (paroi vésiculaire devant fibreuse avec dépôt calcique) → Risque dégénératif
  - Fistule bilio-digestive :
    - Syndrome occlusif, iléus biliaire, syndrome de Bouveret
    - ASP = aérobilie
  - Fistule bilio-biliaire = tableau clinique de lithiase de la VBP
  - Vésicule scléro-atrophique = 2nd à la mobilisation du calcul dans la vésicule donnant des douleurs typiques répétitives
- Traitement = Chirurgical → Importance de l'anapath

LITHIASE DE LA VBP

- Souvent asymptomatique
- ATTENTION aux autres étiologies (compressions extrinsèques / causes pariétales)
- Clinique :
  - Douleur de colique hépatique typique
  - Ictère nu cholestatique
  - Absence de fièvre +++
- Paraclinique :
  - Pas de syndrome inflammatoire
  - Bilan hépatique → perturbé = cholestase hépatique
  - Echographie hépatique → dilatation de la VBP +/- vésicule pathologique
  - Bili-IRM +++ → examen de référence (non invasif)
  - Echo-endoscopie (invasif)

- Traitement :
  - Chirurgical = CPRE avec sphinctérotomie associée + cholangiographie per opératoire sous couverture ATB
  - NPO Cholécystectomie à distance
  - Prise en charge des FdR

ANGIOCHOLITE AIGUË

- Lithiase de la VBP compliquée = Bactériémie 2nd à une lithiase biliaire
- ATTENTION aux autres causes d'angiocholites non lithiasiques (compression extrinsèque, origine pariétale)
- Clinique = **Triade de Charcot** :
  - 1) Douleur typique
  - 2) Fièvre
  - 3) Ictère d'origine cholestatique
  - Apparition des symptômes sur 48h
  - Pas de défense à la palpation
  - Si masse palpable = évoquer un abcès hépatique
- Paraclinique :
  - NFS/plaquettes, CRP → Syndrome inflammatoire biologique
  - Bilan hépatique complet → Perturbé = cytolyse et cholestase
  - Bilan infectieux (hémocultures) → Recherche de germes digestifs
  - Bilan pré opératoire et bilan d'hémostase → Si allongement du TCA et baisse du TP, évoquer une malabsorption de vitamine K 2nd à une cholestase prolongée
  - Echographie abdominale +++ (ou TDM abdo) :
    - Dilatation de la VBP
    - Calcul hyper échogène avec cône d'ombre postérieur
    - +/- vésicule augmentée de volume et paroi épaissie
    - Recherche d'abcès hépatique
  - BIII-IRM +++
  - Echo-endoscopie = invasif
- Traitement :
  - URGENCE THERAPEUTIQUE
  - Hospitalisation en urgence en chirurgie +/- réanimation
  - Mise en condition :
    - VVP
    - Repos au lit
    - Oxygénothérapie SB
    - Equilibre hydro électrolytique
    - Cs anesthésie
    - A jeun
    - Bilan préopératoire
  - Traitement médical :
    - ATB probabiliste en urgence IV, large spectre, active sur les BGN et anaérobies, en absence de CI, 2nd adaptée
    - Augmentin + Aminoside ou C3G + Flagyl + Aminoside pendant 15 jours
    - Antalgique adapté à l'EVA
    - Antispasmodique

- Traitement endoscopique :
  - En urgence si SdG ou lors de l'hospitalisation si évolution favorable sous ATB
  - CPRE avec cholangiographie per opératoire sous couverture ATB
  - (Duodénoscopie, cholangiographie, sphinctérotomie, extraction du calcul à la pince)
- Traitement chirurgical :
  - Cholécystectomie sous cœlioscopie à distance
  - Anapath de la pièce opératoire
- Surveillance

AUTRES COMPLICATIONS DES LITHIASES DE LA VBP

- Migration lithiasique :
  - Passage d'une lithiase dans le duodénum provoquant une obstruction partielle
  - Douleur typique transitoire
  - Modifications minimes du bilan hépatique visibles à 48h, spontanément résolutives
- Pancréatite aiguë d'origine lithiasique (cf. chapitre)

DIAGNOSTICS DIFFERENTIELS

- A toujours éliminer +++

Causes chirurgicales	Causes non chirurgicales
• Pancréatite aiguë	• Angor ou IDM
• Ulcère gastroduodénal	• Pneumopathie
• Perforation d'ulcère	• Pleurésie
• Appendicite sous hépatique	• Colique néphrétique droite
• Occlusion grêlique	• Péricardite
• Dissection aortique	• Douleur lombaire
	• Pyélonéphrite aiguë

Notes personnelles

PANCREATITE AIGUË

268

- **Douleur typique + lipasémie > 3N = Pancréatite aiguë**
- **Origine alcoolique ou biliaire +++**
- **Recherche de signes de gravité**
- **Echo dans les 24h et TDM à 48-72h**
- **Traitement :**
  - **Repos digestif**
  - **Antalgique**
  - **Traitement étiologique**
- **Coulée de nécrose et infection de coulée = Complication grave**
- **Eliminer une tumeur du pancréas**

GENERALITES

- Environ 11 000 cas/an (60% sont chez l'homme)
- Age médian = 45 ans
- Taux de mortalité = 4%

PHYSIOPATHOLOGIE

- 2 types de lésions anatomopathologiques :
  - Œdème interstitiel
  - Nécrose pancréatique
- Mécanismes :
  - Activation du trypsinogène en trypsine
  - Autodigestion du pancréas
  - Réaction inflammatoire
  - Puis activation des mécanismes anti-inflammatoires
    - Cicatrisation
    - Fibrose

ETIOLOGIES

- <u>2 étiologies à toujours évoquer +++ :</u>
  - Pancréatite d'origine alcoolique :
    - Souvent sur pancréatite chronique
    - ASAT > ALAT
    - Signes cliniques d'imprégnation alcoolique
  - Pancréatite d'origine biliaire → **Critères de BLAMEY** :
    - Sexe féminin
    - Age > 50 ans
    - PA > 2,5 N
    - ALAT > 2-3 N et ALAT > ASAT
    - Amylasémie> 13 N

- Autres étiologies :
  - Origines malignes :
    - Adénocarcinome de la tête du pancréas
    - Ampullome vatérien
    - TIPMP
  - Origines métaboliques :
    - Hypercalcémie = hyperPTH
    - Hyperlipidémie
    - Mucoviscidose
  - Origines infectieuses :
    - Virale = oreillons, rubéoles, CMV
    - Bactérienne = mycoplasma pneumo, légionellose, campilobacter
    - Parasitaire = ascaris
  - Origines iatrogènes :
    - Post CPRE
    - Médicamenteuse (en particulier trithérapie antivirale)
  - Origines canalaires
  - Génétique, MICI, maladie de systèmes, post-traumatique…
- Idiopathique = diagnostic d'élimination

CLINIQUE

- Douleur pancréatique typique :
  - Douleur abdominale épigastrique
  - Transfixiante
  - Irradiant dans le dos
  - Intense
  - Permanente
  - Soulagée par l'antéflexion
- Position spontanée du patient en « chien de fusil »
- Signes végétatifs fréquents :
  - Nausées
  - Vomissements
- Recherche de signes de gravité +++ (cf. en bas)

PARACLINIQUE

- Diagnostic positif :
  - Dosage de la lipasémie +++ > 3 N
  - (Amylasémie rarement dosée)
- Diagnostic étiologique :
  - Alcoolisme = VGM, transaminases, GGT, phosphatases alcalines, CGT
  - Cause biliaire = Échographie abdo systématique dans les 24h +++ (en faveur d'une PA = augmentation du volume pancréatique, diminution échogénicité +/- épanchement réactionnel)
- Diagnostic de gravité :
  - CRP
  - Evaluation du score de Ranson = NFS, transaminases, ionogramme sanguin, urée, créatininémie, calcémie, LDH, glycémie, gaz du sang

- TDM abdomino-pelvien sans et avec injection à 72h :
  - Evaluation du score de Balthazar
  - Signes de gravité = présence de nécrose
  - Complications = collections, pseudo kystes, abcès, compressions des voies biliaires, infection (bulles d'air)
  - Diagnostic étiologique
  - Parfois thérapeutique
- Bilan infectieux SB (hémocultures…)

SIGNES DE GRAVITE

- A toujours rechercher +++
- NB : Les coulées de nécrose ne se rehaussent pas après injection de produit de contraste.

Clinique	Biologique	Imagerie
• Age > 80 ans • Obésité : IMC > 30 • Tares associées • Fièvre • Signe de Cullen = ecchymoses péri ombilicales • Signe de Grey Turner = infiltration hématique des flancs • Défaillances d'organes	• CRP élevée > 150 à 48h • **Score de Ranson** ≥ 3 : - Evaluation à l'entrée : ▪ **G**ly ≥ 11 mmol/L (2 g/L) ▪ **A**ge ≥ 55 ans ▪ **L**eucocytes ≥ 16000 ▪ **L**DH ≥ 1,5 N ▪ **A**SAT ≥ 6N - Evaluation à 48h : ▪ **B**icarbonate ↓ ≥ 4 mmol/L ▪ **O**2 < 60 mmHg ▪ **U**rée ↑ ≥ 1,8 mmol/L ▪ **C**alcium < 2 mmol/L ▪ **H**ématocrite ↓ ≥ 10 % ▪ **E**au : séquestration ≥ 6L	• **Score de Balthazar** > 4 = calculé sur le TDM à 72h : - Sans injection : ▪ Pancréas normal (0) ▪ ↑ du volume (1) ▪ Infiltration de la graisse péri pancréatique (2) ▪ 1 coulée de nécrose unique (3) ▪ ≥ 2 coulées ou présence de bulles d'air (4) - Avec injection : ▪ 0% de nécrose (0) ▪ < 30% de nécrose (2) ▪ 30 à 50% de nécrose (4) ▪ > 50 % de nécrose (6) • NB : Un score ≥ 7 → 20% de mortalité

COMPLICATIONS

- Générales :
  - Décès
  - Sepsis sévère, choc septique
  - CIVD, Insuffisance rénale aiguë
  - Défaillance d'organes multiples
- Fonctionnels :
  - Exocrine = diarrhée chronique avec stéatorrhée
  - Endocrine = hyperglycémie et diabète
- Locales :
  - Collections liquidiennes = précoces, douloureuses
  - Pseudo kystes = tardifs (vers 4 semaines)
  - Abcès pancréatique = plutôt précoce

- Nécrose pancréatique :
  - Fréquente
  - Absence de rehaussement au TDM injectée
  - Risque d'infection de nécrose +++ = douleur non calmée ou réapparaissant, fièvre, +/- choc, syndrome inflammatoire biologique

TRAITEMENT

- Dépendant de la gravité
- Pour tous :
  - Hospitalisation en service d'hépatogastro
  - Repos au lit
  - Hydratation
  - Mise à jeun +++ pour repos digestif jusqu'à sédation de la douleur > 48h
  - Puis reprise alimentaire progressive avec régime sans graisse
  - Antalgique adapté à l'EVA → AINS CI
  - Antispasmodique
  - Traitement étiologique +++ (sevrage alcoolique avec prévention du DT et vitaminothérapie, cholécystectomie à distance, arrêt de tous médicaments potentiellement responsables…)
  - Surveillance +++ :
    - Clinique = TA, Fc, T°, douleur, signes de gravité
    - Paraclinique = NFS, Bilan hépatique, CRP, imagerie à 72h
- PA sévère :
  - Hospitalisation en réa
  - Mise en condition :
    - VVP
    - Expansion volémique SB
    - SNG + traitement par IPP si temps de jeun estimé > 7 jr
  - ATB non systématique
- PA compliquée = Infection de nécrose :
  - Urgence
  - Prise en charge des troubles HD
  - Traitement médical par ATB IV, large spectre, actif sur les germes aéro et anaérobies, type imipenème + aminoside
  - +/- Drainage de la nécrose pancréatique :
    - Drainage radiologique à l'aiguille sous contrôle du TDM
    - Drainage endoscopique
    - Drainage chirurgical
- PA associée à une angiocholite :
  - CPRE avec sphinctérotomie en urgence
  - Traitement par ATB à débuter en urgence type Augmentin + aminoside IV
  - Cholécystectomie à distance par cœlioscopie

PANCREATITE CHRONIQUE

269

- **Origine alcoolique +++ → Pancréatite chronique calcifiante**
- **AEG + sujet âgé = recherche de cancer du pancréas**
- **TDM abdomino-pelvien +++**
- **Prise en charge symptomatique et surtout de l'amaigrissement**
- **NPO les complications propres de l'alcool et du diabète**

PHYSIOPATHOLOGIE

- Affection chronique +++
- Evolution par poussées
- 1) Augmentation de la lithogénèse intra-canalaire
- 2) Accumulation de poussées de PA entrainant une cicatrisation fibrosante avec sténoses cicatricielles irréversibles
- 3) Calcifications des canaux intra-canalaires
- Ces trois phénomènes donnent une stase d'amont → inflammation chronique → fibrose → destruction du parenchyme pancréatique → perte des fonctions endocrine et exocrine

ETIOLOGIES

- Une étiologie à retenir = ALCOOLISME CHRONIQUE +++ :
  - Intoxication prolongée > 10 ans
  - Ne pas sous estimer un cancer du pancréas +++
- Autres :
  - Hypercalcémie chronique (hyperPTH)
  - Génétiques → à évoquer devant une PC du sujet jeune
  - Obstructives = tumeurs +++ (y penser devant sujet âgé + AEG)
  - Auto-immunes = pancréatite lympho-plasmocytaire sclérosante
  - Post radique
  - Idiopathique → diagnostic d'élimination
- NB : Les lithiases biliaires ne sont pas pourvoyeuses de PC

CLINIQUE

- Trois phases évolutives :
  - 1) De 0 à 5 ans = association de douleurs chroniques + poussées de PA
  - 2) Entre 5 et 10 ans = diminution des douleurs et des poussées de PA mais apparition de complications locales
  - 3) Après 10 ans d'évolution = sédation des douleurs, destruction du parenchyme pancréatique et apparition des complications fonctionnelles
- Terrain :
  - Homme de 40 ans
  - Alcoolique chronique
  - Présence de stigmates d'alcoolisation chronique (bouffissure du visage, haleine alcoolisée…)

- Douleur pancréatique typique, déclenchée par l'alimentation (repas riche en graisse) et l'alcool
- AEG avec amaigrissement multifactoriel +++
  - Restriction volontaire car douleur déclenchée par les repas
  - Diabète secondaire
  - Malabsorption sur insuffisance exocrine
  - Cancer du pancréas
- Recherche de complications liées à la PC, à l'alcoolisme et au diabète +++

PARACLINIQUE

- Diagnostic positif =
  - TDM abdomino-pelvien sans et avec injection +++ :
    - Augmentation de volume du pancréas
    - Calcifications diffuses
    - Dilatations irrégulières du Wirsung
    - Recherche de complications
  - ASP → permet d'évoquer le diagnostique = calcifications en regard de l'aire pancréatique
- Diagnostic étiologique :
  - Alcoolisme chronique = VGM, transaminases, CGT, GGT et Phosphatases alcalines
  - Autres = calcémie, PTH, bilan auto-immun, imagerie abdominale
- Diagnostic de gravité = recherche de complications :
  - Lipasémie → augmentée si poussée de PA ou pseudo kystes
  - Glycémie à jeun, HbA1c → recherche d'un diabète
  - Examen des selles → recherche de stéatorrhée
  - Imagerie pancréatique dont l'écho endoscopie +++→ cancer du pancréas, pseudo kystes
  - Complications de l'alcoolisme = BHC, écho hépatique, EPP, bilan coagulation, αFP, EOGD
  - Complications du diabète = ECG, bilan des FdR CV, FO, examen neurologique et des pieds
- Bilan du terrain :
  - Alcoolisme = BHC, écho hépatique, EPP, bilan coagulation, αFP, EOGD
  - Diabète = ECG, bilan des FdR CV, FO, examen neurologique et des pieds

COMPLICATIONS

- Générales :
  - Amaigrissement
  - Mortalité
  - Complications de l'alcoolisme chronique (cirrhose +++)
- Fonctionnelles :
  - Insuffisance endocrine = diabète secondaire
  - Insuffisance exocrine = stéatorrhée et maldigestion
- Locales :
  - Poussée de PA (cf.)
  - Pseudo kystes +++ :
    - Argument de fréquence
    - Asymptomatique ou douleurs à recrudescences nocturnes après un intervalle libre ou masse pancréatique
    - Complications = compressions organes adjacents, rupture, hémorragie intra kystique, infection de pseudo kyste

- Cancer du pancréas → A toujours rechercher
- Compression des organes adjacents :
  - Voie biliaire (cholécystite...)
  - Duodénale (occlusion)
- Syndrome de Weber Christian :
  - 2nd à une fistule entre canal pancréatique et veine portale ou veine cave
  - Donne une nécrose de la graisse, cutanée et ostéoarticulaire
- Thromboses vasculaires (veines spléniques, veine porte)
- Hémorragies digestives
- Epanchement des séreuses (plèvre, péritonite)
  - 2nd à une fistule entre canal pancréatique et péritoine ou rupture d'un pseudo kyste

TRAITEMENT

- Multidisciplinaire / ALD 30 et 100% / soutien psy
- Prise en charge de la douleur +++ :
  - Antalgiques de paliers adaptés à l'EVA
  - Repos digestif de courte durée
  - Drainage pancréatique pour levée de l'obstacle :
    - Traitement endoscopique avec prothèse du Wirsung
    - Traitement chirurgical avec dérivation wirsungo-jéjunale
- Prise en charge de l'alcoolisation chronique :
  - Sevrage définitif + aide au sevrage
  - Vitaminothérapie B1, B6, PP et hydratation
  - Prévention du DT
  - Bilan des complications et prise en charge spécifique
- Prise en charges des complications :
  - Dénutrition :
    - Cs diététicienne
    - Régime hypercalorique, hyper protidique, hypo lipidique
    - Enrichissement de l'alimentation
    - Complément alimentaire
  - Insuffisance endocrine = diabète :
    - RHD
    - Anti diabétiques oraux
    - +/- insulinothérapie
    - Dépistage et prise en charge des complications
  - Insuffisance exocrine = stéatorrhée et maldigestion :
    - Régime hypo lipidique
    - Extraits pancréatiques gastro-protégés
    - Supplémentation vitaminique
  - Pseudo kyste :
    - Indications = taille > 4cm de diamètre, évolution > 6 semaines, symptomatiques ou compliqués
    - Ponction/évacuation ou drainage percutané, endoscopique, chirurgical
- Surveillance de la PCC, de l'alcoolisme et des complications

PATHOLOGIES HEMORROÏDAIRES

273

- **Pathologies fréquentes → le plus souvent asymptomatiques**
- **Examen de la marge anale (déplier les plis) + TR + Anuscopie**
- **TOUTES RECTORRAGIES = COLOSCOPIE**
- **NPO les mesures associées**

GENERALITES

- Définition = Structures vasculaires normales de l'anus et du canal anal
- Prévalence difficile à évaluer, âge médian = 45-65 ans
- 2 types d'hémorroïdes :
  - Hémorroïdes externes = sous cutanées et sous pectinéales
  - Hémorroïdes internes = sous muqueuses et sus pectinéales
- Facteurs favorisants :
  - Trouble de transit
  - Efforts de poussées répétitifs et importants
  - Périodes de la vie génitale (grossesse et post partum)
  - Hérédité

DOULEURS HEMORROÏDAIRES

Crise fluxionnaire ou hémorroïdaire	Thrombose hémorroïdaire interne	Thrombose hémorroïdaire externe +++
= Accès de congestion hémorroïdaire sans thrombose • Pesanteur, tension douloureuse, prurit anal • Rythmée par la défécation • Examen physique : - Oedème - Congestion hémorroïdaire à l'examen • Régression spontanée progressive	• Rare et de diagnostic difficile • Douleur anale brutale, intra-canalaire • Tuméfaction dure et douloureuse au TR (parfois non retrouvée)	= Constitution d'un caillot au niveau de l'hémorroïde • Douleur vive, brutale et intense • Non rythmée par la défécation • Examen physique : - Tuméfaction anale ferme, douloureuse, et bleutée - Réaction œdémateuse associée → Aucun risque d'embolie → Risque de cicatrisation à type de marisque

- <u>Diagnostics différentiels :</u>
  - Anomalies anales :
    - Abcès de la marge anale
    - Fissure anale
    - IST +++

- Absence d'anomalies anales :
  - Abcès intra canalaire
  - Fécalome

PROLAPSUS

- Définition = Procidence hémorroïdaire interne
- Clinique :
  - Sensation de gène anale à type de « grosseur » ou de « boule »
  - +/- Suintements ou rectorragies
  - Tuméfaction souple objectivée lors d'un effort de poussée ou de façon spontanée
- 4 stades :
  - Stade 1 = Hémorroïdes non prolabées, uniquement congestives
  - Stade 2 = Procidence lors des efforts de poussées, spontanément réductible
  - Stade 3 = Procidence à l'effort nécessitant une réinsertion manuelle
  - Stade 4 = Procidence permanente non réductible

RECTORRAGIES

- Provenant des hémorroïdes internes
- Clinique :
  - Saignements de sang rouge de faibles abondances (souvent uniquement traces)
  - Indolores
  - Rythmés par la défécation
  - Absence de méléna, de caillot, de signes d'anémie → Si présent = rechercher un CCR
- Eliminer un diagnostic différentiel :
  - CCR +++
  - Polype rectal
  - Prolapsus rectal

TRAITEMENT

Pathologies hémorroïdaires externes	Pathologies hémorroïdaires interne
• Traitement médical en 1ère intention = « AVATAR » : - AINS avec IPP - Veinotoniques en cure courte - Antalgique par voie général adapté à l'EVA - Topiques locaux - Antalgiques en topiques - Régularisation du transit • Traitement instrumental sous AL si échec : - Incision - Excision +++ • Mesures générales : - Eviter l'alcool et l'alimentation épicée - Suppression des facteurs favorisants	• NPO de vérifier l'absence de CCR • 1) Abstention thérapeutique • 2) Traitement médical : - Régularisation du transit, facteurs favorisants - Traitement « AVATAR » (cf. à coté) • 3) Traitement instrumental : - Indiqué si échec traitement médical et si prolapsus 2 ou 3 - Photocoagulation IR ou Sclérose ou Ligature élastique • 4) Traitement chirurgical : - Indiqué si échec des autres traitements ou rectorragies importantes ou prolapsus 4 - Hémorroïdectomie ou hémorroïdopexie

PERITONITE

275

- **URGENCE CHIRURGICALE +++**
- **Diagnostic clinique +++**
- **Péritonites extrahospitalières, postopératoires et post-traumatiques**
- **Contracture abdominale et TR douloureux**
- **Aucuns examens complémentaires obligatoires → ne devant pas retarder la prise en charge**
- **Traitement médical + chirurgical**

GENERALITES

- Définition = Inflammation aiguë du péritoine, le plus souvent d'origine infectieuse
- 3 types de péritonites :
  - Primitive :
    - D'origine hématogène ou par translocation
    - Mono bactérienne
    - Traitement médical seul
  - Secondaire :
    - La plus fréquente
    - 2nd à la perforation d'un organe abdominal
    - Poly microbienne
    - Extrahospitalière, postopératoire ou post-traumatique
    - Traitement médical + chirurgical
  - Tertiaire :
    - Infection intra abdominale persistante après une infection déjà connue
    - Syndrome de défaillance multi viscérale

CLINIQUE

- <u>SG :</u>
  - Fièvre
  - Etat de choc septique = tachycardie, hypotension artérielle, faciès altéré, oligurie
- <u>SF :</u>
  - Douleur abdominale brutale et intense +++
  - Irradiant dans tout l'abdomen
  - Iléus réflexe
  - Signes végétatifs = nausées, vomissements
  - +/- SF de défaillance multi viscérale
- <u>SP :</u>
  - Douleur abdominale intense à la palpation
  - Contracture abdominale avec ventre dit « de bois » +++
  - TR = épanchement du Douglas et cri du Douglas
- ATTENTION → Tableau clinique pouvant être à bas bruit chez les sujets âgés ou immunodéprimés

PARACLINIQUE

- AUCUN EXAMEN COMPLEMENTAIRE N'EST NECESSAIRE
- AUCUN EXAMEN NE DEVRA RETARDER LA PRISE EN CHARGE
- Examens pour le diagnostic étiologique et de gravité :
  - NFS/plaquette et CRP → syndrome inflammatoire biologique important
  - Bilan infectieux (hémocultures, BU) → recherche des germes incriminés
  - Bilan préopératoire
  - Recherche de défaillance multi viscérale :
    - Ionogramme sanguin, urée, créatininémie
    - Bilan hépatique complet
    - Lipasémie
    - Bilan d'hémostase → éliminer une CIVD +++
    - Gaz du sang
  - ASP = Croissant gazeux en sous phrénique (pneumopéritoine)
  - TDM abdomino-pelvien sans et avec injection, et avec opacification digestive (uniquement si patient stable) = diagnostic positif, étiologique, pronostique et de gravité

COMPLICATIONS

Locorégionales	Générales
• Abcès de paroi • Abcès sous phrénique ou du Douglas (car zones de lavages difficilement accessibles) • Eviscération, éventration • Occlusion digestive sur bride ou adhérence	• Sepsis, sepsis sévère et choc septique • Défaillance multi viscérale • Emboles septiques à distance

FORMES PARTICULIERES

Extra Hospitalière ou Post traumatique	Post Opératoire	Localisée
• Tableau typique de péritonite brutale	• 2nd à une chirurgie abdominale avec fuite de l'anastomose • Le plus souvent à J5-J7 du post op • Clinique plus atypique avec diagnostic parfois difficile : - Fièvre persistante ou réapparaissant - Douleur, iléus réflexe - Signes extra digestifs - Ecoulement purulent au niveau du drain ou de la cicatrice +/- collection • TDM Abdomino-pelvien +++	• 2nd à un cloisonnement de l'infection • Abcès sous phrénique = hoquet, dyspnée, épanchement réactionnel • Abcès du Douglas = douleur au TR, SFU, syndrome rectal • TDM abdomino-pelvien +++

PRISE EN CHARGE THERAPEUTIQUE

- URGENCE DIAGNOSTIQUE ET THERAPEUTIQUE +++
- Hospitalisation en urgence en réanimation
- Mise en condition avec mise à jeun stricte
- Traitement médical :
  - Equilibre hydro électrolytique, expansion volémique
  - ATB +++ large spectre, IV, adaptée aux germes suspectés :
    - Germes communautaires = Augmentin + Gentamycine
    - Germes nosocomiaux = Tazocilline + Amiklin
    - Durée de 5 à 10 jours
  - Traitement symptomatique type antalgiques adaptés à l'EVA et antispasmodiques
  - SNG si vomissements
  - IPP pour prévention de l'ulcère de stress
  - Prévention des lésions de décubitus
- Traitement chirurgical :
  - En urgence
  - Par laparotomie
  - Exploration de la cavité péritonéale + prélèvements microbiologiques
  - Traitement étiologique +++ (NB : pas de rétablissement de la continuité immédiate)
  - Lavage, drainage et fermeture
  - NB : Si abcès, drainage per cutané sous contrôle TDM ou écho
- Surveillance clinique et paraclinique
- A distance = traitement étiologique +++

Notes personnelles

REFLUX GASTRO-OESOPHAGIEN

280

- **POSOLOGIES à connaitre**
- **RGO non lié à H.pylori**
- **Diagnostic clinique pour les formes typiques**
- **FOGD pas toujours systématique**
- **Examens complémentaires :**
  - **Aucun en cas de forme typique < 50 ans**
  - **FOGD systématique si RGO atypique et/ou > 50ans et/ou avec des signes d'alarme**
- **Traitement ambulatoire**
- **Endobrachyoesophage (EBO) → risque de cancérisation**

GENERALITES

- Argument de fréquence : 30% de la population générale
- RGO symptomatique = pathologique
- Facteurs favorisants :
  - Age = Augmentation de l'incidence avec l'âge
  - Hernie hiatale par glissement (ne suffit pas à elle seule pour expliquer un RGO)
  - Hyperpression intra abdominale = obésité / grossesse / constipation / toux chronique
  - Hypotonie du SIO = alcoolisme / médicaments / alimentation
  - Défaut de compensation du RGO = hyposialorrhée / troubles moteurs œsophagiens
- Facteurs aggravants (par hypotonie du SIO) :
  - Médicaments = AINS / aspirine / morphine / oestroprogestatifs...
  - Tabac et aliments = alcool / café / graisses / chocolat...
  - Iatrogène = sonde naso-gastrique

CLINIQUE

- Interrogatoire :
  - Age du patient
  - Recherche de facteurs favorisants ou aggravants
  - Traitement en cours dépresseur du SIO
  - Anamnèse
- Diagnostic positif :
  - Signes positifs typiques :
    - Pyrosis
    - Régurgitations acides
  - Circonstances de survenue :
    - Syndrome postural = décubitus / au couché / antéflexion ("signe du lacet")
    - Postprandial immédiat, rythmé par les repas qui aggravent les symptômes
- Signes de gravité = "Signes d'alarme" :
  - Terrain alcoolo-tabagique
  - Dysphagie +/- odynophagie
  - AEG dont amaigrissement

- Hémorragie digestive ou anémie ferriprive
- Echec du traitement ou récidive précoce

- Signes atypiques :
  - Digestifs = nausée, syndrome dyspeptique, épigastralgie, éructation
  - ORL = laryngite chronique, otalgie réflexe, hoquet, enrouement
  - Respiratoires = bronchite, broncho-pneumopathie récidivante, asthme
  - Cardiaques = douleur pseudo angineuse (imposant l'ECG)

PARACLINIQUE

- Diagnostic positif :
  - RGO non compliqué typique :
    - Si patient < 50 ans = AUCUN examen complémentaire, diagnostic clinique
    - Si patient > 50 ans = FOGD car risque de complications
  - pH-métrie œsophagienne des 24h :
    - Si signes atypiques avec FOGD normale ou RGO atypique résistant au Tt médical
    - Positif si pH < 4 pendant 5% du temps total ou 3 épisodes à pH < 4 pendant > 5 min
- Diagnostic de gravité :
  - Fibroscopie œsogastroduodénale (FOGD) (pas à but diagnostique car il est clinique) :
    - Si âge > 50 ans
    - Si signes d'alarme
    - Si signes atypiques
    - Recherche d'une œsophagite peptique +/- EBO
  - NFS/plaquettes → recherche d'une anémie
- Pour le bilan préopératoire si besoin :
  - pH-métrie des 24h si EOGD normale
  - TOGD → seulement si sténose infranchissable par la FOGD
  - Manométrie → recherche d'une hypotonie du SIO ou des troubles œsophagiens moteurs
  - Bilan standard

COMPLICATIONS

- Oesophagite peptique :
  - Inflammation de la muqueuse œsophagienne par l'acidité gastrique
  - Clinique :
    - Dysphagie
    - Odynophagie
  - Paraclinique :
    - FOGD = Aspect macroscopique : érosions / ulcérations +/- sténose
    - Biopsies : seulement si aspect d'EBO pour une cancérisation
  - Classification de Savary-Miller = précise grade de sévérité de l'œsophagite :
    - Grade 1 (Non sévère) = Erosions uniques ou multiples / non confluentes
    - Grade 2 (Non sévère) = Erosions multiples confluentes / non circonférentielles
    - Grade 3 (Sévère) = Erosions multiples confluentes et circonférentielles
    - Grade 4 (Sévère) = œsophagite peptique ulcérée ou sténosante / EBO
- Sténose peptique :
  - Clinique :
    - Dysphagie

- Odynophagie
- Paraclinique :
  - FOGD
  - Biopsies pour éliminer un cancer
- Endobrachyoesophage (EBO) :
  - Métaplasie de l'épithélium malphigien épidermoïde intestinal glandulaire
  - Paraclinique :
    - FOGD = Aspect macroscopique : épithélium rouge/rosé vif
    - Biopsies nombreuses / étagées pour dépister des foyers carcinomateux
  - Complications de l'EBO :
    - Ulcérations = ulcère de Barrett
    - Hémorragies digestives
    - Sténose peptique
    - Transformation maligne +++ : dysplasies puis adénocarcinome de l'œsophage
- Hémorragies digestives :
  - Par ulcérations, souvent sur EBO
  - Hémorragie minimes = anémie microcytaire par carence martiale
- Cancer de l'œsophage :
  - Adénocarcinome du 1/3 inférieur de l'œsophage sur EBO
- Complications extra-digestives :
  - ORL = laryngite chronique / otalgie réflexe / enrouement / hoquet
  - Respiratoires = bronchites / broncho-pneumopathie récidivante / asthme
  - Cardiaques = douleur pseudo angineuse

TRAITEMENT

- Ambulatoire
- Education du patient et RHD :
  - Mesures posturales = surélévation de la tête du lit, éviter le décubitus postprandial immédiat, éviter la surpression abdominale
  - Arrêt tabac et alcool
  - Perte de poids / lutte contre l'obésité
  - Eviter les médicaments favorisants le RGO et le saignement (AINS, morphinique)
- Traitement médicamenteux :
  - Antiacides (= traitement symptomatiques) (Ex: Maalox®) :
    - A la demande
    - Prise à distance des autres médicaments car diminution de l'absorption
    - Prise PO pendant le repas +/- répéter (jusqu'a 6x/j)
  - Alginates (= pansement gastrique) (Ex: Gaviscon®) :
    - Prise à distance des autres médicaments car diminution de l'absorption
    - 1 sachet après chaque repas +/- au coucher
  - Anti sécrétoires type inhibiteurs de la pompe à protons (IPP) (ex : oméprazole = Mopral®) :
    - "Pleine dose" = oméprazole 20mg/j
    - A prendre à jeun avant le petit déjeuner ou 60 min avant repas
  - Anti sécrétoires type anti récepteur H2 à histamine (anti-H2) (ex : ranitidine = Azantac®) :
    - "Pleine dose" = ranitidine 75-225mg/J
- Prévention des récidives = Traitement d'entretien :
  - Si absence d'œsophagite :

        - En 1ère intention = essai de traitement par IPP à la demande
        - Si rechutes fréquentes = IPP au long cours à dose minimale efficace (1/2 dose)
    - Si présence d'œsophagite :
        - Non sévère = IPP à dose minimale efficace si rechutes fréquentes
        - Sévère = IPP à dose minimale efficace systématique au long cours
- Traitement des complications :
    - Manifestations extra-digestives :
        - Pas de recommandation pour des IPP
        - Pour certains, IPP pleine dose pendant 8S = test thérapeutique
    - Oesophagite avec sténose peptique :
        - IPP pleine dose long cours
        - Dilatation endoscopique au ballonnet répétée
    - EBO ulcéré (muqueuse de Barrett) :
        - Traitement par IPP au long cours (ne fait pas régresser la métaplasie)
        - Surveillance par FOGD + Biopsies pour recherche d'une dysplasie
        - Prise en charge multidisciplinaire en cas de cancérisation +/- chirurgicale

<table>
<tr><th>RGO < 1x/sem</th><th colspan="2">RGO > 1x/sem</th><th colspan="2">Age > 50ans
Signes d'alarme
Signes atypique</th></tr>
<tr><td rowspan="4">• Pas de FOGD
• TTT à la demande :
- Antiacide
▪ Maalox®
- Alginate
▪ Gaviscon®</td><td colspan="2">• IPP 1/2 dose
• 4 semaines</td><td colspan="2">• FOGD</td></tr>
<tr><td>• Succès</td><td>• Echec</td><td>• Pas d'œsophagite
• Ou non sévère</td><td>• œsophagite sévère</td></tr>
<tr><td rowspan="2">• Arrêt TTT
• Pas de FOGD</td><td rowspan="2">• FOGD
• IPP pleine dose
• 8 sem</td><td>• Pas de FOGD de contrôle</td><td>• FOGD de contrôle</td></tr>
<tr><td>• IPP pleine dose
• 4 semaines</td><td>• IPP pleine dose
• 8 semaines</td></tr>
</table>

TRAITEMENT CHIRURGICAL

- Discuté si :
    - Traitement au long cours nécessaire
    - Récidive précoce à l'arrêt du traitement = dépendance aux IPP
    - Persistance des symptômes sous traitement optimal = traitement inefficace
- Modalités :
    - Par coelioscopique
    - Réduction d'une éventuelle hernie hiatale
    - Confection d'un système de valve anti reflux :
        - Fundoplicature (de Nissen = 360° ou de Toupet = 180°)
        - Rapprochement des piliers du diaphragme
- Complications :
    - Dysphagie basse
    - Gaz Bloat Syndrome
- Contre-indications :
    - Achalasie éliminée par la manométrie
    - Sclérodermie éliminée par la manométrie
    - Comorbidités contre-indiquant l'anesthésie

SURVEILLANCE

- Si RGO non compliqué ou œsophagite grade I/II (peu sévère) :
  - Pas d'EOGD de contrôle
- Si œsophagite grade III/IV (sévère = lésions circonférentielles) :
  - FOGD de contrôle à 8 semaines
- Si EBO = surveillance rapprochée par FOGD + biopsies multiples étagées :
  - Si pas de dysplasie : FOGD 1x/5ans (si EBO > 6cm = 1x/2ans)
  - Si dysplasie de bas grade : FOGD 1x/6M pendant 1an puis 1x/an
  - Si dysplasie de haut grade ou adénocarcinome : TTT chirurgical après avis multidisciplinaire

HERNIE HIATALE

- Définition = Protrusion du fundus dans la cavité thoracique à travers le hiatus œsophagien
- Très fréquent mais souvent asymptomatique
- Bénin
- Incidence augmentant avec l'âge
- <u>Deux types d'hernies hiatales :</u>
  - Par glissement (75% des cas / peu de risques de complications) :
    - Fréquente mais non grave
    - Cardia remonte en position intra thoracique
    - Angle de His ouvert = aggrave un RGO préexistant
  - Par roulement (25% de cas / risque de strangulation) :
    - Moins fréquente mais risque de strangulation et/ou de compression des organes voisins
    - Cardia reste en position intra abdominale
    - Angle de His fermé = ne favorise pas le RGO
- <u>Clinique :</u>
  - Asymptomatique +++ → découverte fortuite lors d'examens complémentaires
  - Si hernie par roulement risque de compression des organes voisins :
    - Epigastralgies +/- douleurs basi-thoraciques
    - Satiété précoce
    - Toux / dyspnée / palpitations
- <u>Paraclinique :</u>
  - Radiographie thoracique = poche à air gastrique en position intra thoracique
  - Pas d'indication à d'autres examens
- <u>Complications :</u>
  - Reflux gastro-oesophagien si hernie hiatale par glissement
  - Etranglement herniaire +/- volvulus si hernie hiatale par roulement
  - Hémorragie digestive avec anémie ferriprive par saignement asymptomatique
- <u>Traitement :</u>
  - Hernie hiatale par glissement :
    - Abstention thérapeutique
    - Traitement d'un RGO
    - Si traitement chirurgical du RGO, on réduira la hernie dans le même temps
  - Hernie hiatale par roulement :
    - Traitement chirurgical seulement si complication ou symptômes invalidants

Notes personnelles

ULCERE GASTRO-DUODENAL / GASTRITE

290

- **Facteur de risque = Hélicobacter Pylori**
- **FOGD systématique**
- **CI aux AINS / tabac / alcool**
- **Ulcère gastrique / Gastrite atrophique = risque d'adénocarcinome gastrique**
- **Trithérapie d'éradication sur 7 jours**

GENERALITES

- Perte de substance de la paroi (épithélium + muqueuse + musculaire-muqueuse + musculeuse)
- 2 types :
  - Ulcères duodénaux (UD) → risque hémorragique
  - Ulcères gastriques (UG) → adénocarcinome gastrique
  - UD > UG
- Facteurs favorisants :
  - Helicobacter pylori (HP) +++
  - AINS / aspirine +++
  - Corticoïdes
  - Tabagisme (NPO l'arrêt systématique)
  - Pathologies sous-jacentes : cirrhose, IR...
  - Terrain génétique : ATCD familiaux

CLINIQUE

- Femme / 50 ans
- Interrogatoire :
  - Recherche de facteurs favorisants
  - ATCD d'UGD
- Syndrome ulcéreux :
  - Douleur épigastrique à type de crampe (>> brûlure)
  - Pas d'irradiation
  - Postprandiale tardive et calmée par les repas
  - Evolutive / périodique
- Signes atypiques :
  - Syndrome dyspeptique / amaigrissement
- Examen physique normal +/- syndrome anémique
- TR → hémorragie digestive / irritation péritonéale

PARACLINIQUE

- Fibroscopie œsogastroduodénale (FOGD) systématique :
  - Systématique surtout si signes d'alarme = âge > 45 ans / anémie / amaigrissement
  - Patient à jeun / bilan pré op / cs d'anesthésie / consentement du patient
  - Diagnostic = nombre / siège / perte de substance arrondie ou ovalaire à fond blanchâtre

- Biopsies → examen histologique + recherche HP :
    - Systématiques / multiples (Mini 10) / antrales x 2 et fundiques x 2 / berges
- Signes endoscopiques de malignité d'un ulcère gastrique :
    - Taille > 1cm / bords irréguliers / berges dures / plis s'arrêtant à distance de l'ulcère

- Tests diagnostiques pour recherche d'HP :
    - Tests directs = invasifs = biopsies de la FOGD :
        - Examen histologique / test rapide à l'uréase / mise en culture / PCR
    - Tests indirects = non invasifs (pas de biopsie) :
        - Test respiratoire à l'urée marquée / sérologie / antigènes solubles dans les selles

TRAITEMENT

- Ambulatoire (hospitalisation en urgence si hémorragie ou perforation)
- Education du patient + RHD +++ :
    - Arrêt du tabac / AINS / alcool / éviter acidifiants
    - Repas à heures fixes
- Traitement médical d'HP :

Trithérapie pendant 7 jours		
IPP (Oméprazole)	**Bi-Antibiothérapie**	
• Double dose • 20mg x 2 / jour	• Amoxicilline 1g x 2 / jour • (Flagyl® si allergie)	• Clarythromycine 500mg x2 / jour • (Flagyl® si échec)
(si échec → durée 14 jr avec Amoxicilline + Flagyl® + IPP double dose)		

- Poursuite des IPP pleine dose pendant :
    - Aucun traitement si ulcère duodénal non compliqué (3S si compliqué)
    - 6S pour ulcère gastrique
- Traitement chirurgical par gastrectomie partielle emportant l'ulcère + anapath + anastomose :
    - Si rechutes fréquentes malgré le traitement ou absence de cicatrisation à 12 semaines
- Surveillance :
    - UD non compliqué = test respiratoire à l'urée à 4S de traitement / pas de EOGD
    - UD compliqué = FOGD systématique à 4S après la fin du traitement
    - UG = FOGD systématique à 4S de traitement

- Prévention de l'UGD sous traitement AINS par IPP pleine dose si :
    - Age > 65 ans
    - ATCD d'UGD
    - Association = AINS + corticoïdes / AVK / antiagrégant

- Mesures générales médicales si complications = **Méthode de Taylor** :
    - Hospitalisation / patient à jeun / pose SNG / réanimation / antalgiques
    - IPP double dose IV
    - Antibiothérapie IV (Augmentin® en IV) +/- Vidange gastrique par érythromycine
- Si perforation d'ulcère :
    - Traitement chirurgical par cœlioscopie en 1ère intention :
        - Exploration abdo / prélèvements multiples / exérèse / anapath / lavage et suture
    - Traitement médical par Méthode de Taylor, envisageable si :
        - Diagnostic d'ulcère certain, survenue à jeun, début < 6h, surveillance possible / apyrétique / pas de Choc / pas de défense / pas d'hémorragie

- Si sténose ulcéreuse :
    - Renutrition parentérale + Eradication de HP
    - Si échec = FOGD pour dilatation de la sténose au ballonnet
- Cancérisation en adénocarcinome gastrique → gastrectomie +/- partielle + anatomopathologie

COMPLICATIONS

- Récidive :
    - Mauvaise observance / prise d'AINS
    - H.Pylori résistant / réinfection par HP
    - Maladie de Crohn / Zollinger-Ellison = Gastrinome
- Hémorragie digestive ulcéreuse = hémorragie digestive haute (cf. chapitre) :
    - Extériorisation = haute (hématémèse) ou basse (méléna / rectorragie)
    - Anémie microcytaire chronique par carence martiale associée
- Perforation d'ulcère → pneumopéritoine → péritonite aiguë :
    - Douleur épigastrique brutale + défense/contracture +/- apyrétique si phase initiale
    - ASP / TDM abdominale (examen de référence) → pneumopéritoine
    - CI à la FOGD
- Sténose pyloro-duodénale → vomissements postprandiaux tardifs non bilieux
- Cancérisation → adénocarcinome gastrique uniquement pour ulcère gastrique

GASTRITE

- Gastrites aiguës (rare) :
    - AINS / aspirine / Alcool / Primo-infection à H.Pylori
- Gastrites chroniques (fréquentes) :
    - Gastrites atrophiques → adénocarcinome gastrique :
        - Gastrite de type A (auto-immune) = Maladie de Biermer
        - Gastrite de type B (bactérienne) = Helicobacter Pylori
    - Gastrites non atrophiques → pas d'évolution carcinomateuse :
        - Gastrite type C (chimique) : AINS / reflux biliaire
        - Maladie de Ménétrier = hypertrophie des plis / différentiel du cancer gastrique
        - Gastrite lymphocytaire (M.coeliaque) / granulomateuse / à éosinophiles / d'HTP
- Cas particulier = Maladie de Biermer :
    - Clinique :
        - Femme / 50 ans / auto-immunité (PEAI 1 ou 2)
        - Syndrome anémique = asthénie + pâleur +/- subictère par hémolyse
        - Atrophie épithéliale digestive = sécheresse buccale + langue rouge/lisse/brillante
        - Sclérose combinée de la moelle = syndrome pyramidal + syndrome cordonal postérieur
    - Paraclinique :
        - FOGD avec biopsies multiples = achlorhydrie
        - Auto anticorps = Ac anti facteur intrinsèque et anti cellule pariétale
        - Myélogramme = moelle riche / bleue / mégaloblastose / asynchronisme de maturation
        - Bilan de PEAI = TSH / Ac anti-TPO / glycémie ...
    - Traitement par supplémentation vitaminique B12 + B9 à VIE
    - Risque d'adénocarcinome gastrique → surveillance par FOGD régulière A VIE +++

Notes personnelles

ASCITE

298

- **Diagnostic clinique +++**
- **Ascite non compliquée = indolore**
- **Ponction exploratrice systématique / ponction évacuatrice parfois (à distinguer)**
- **Prévention de l'infection du liquide d'ascite**
- **Recherche de facteurs déclenchant systématique**
- **2 causes = cirrhose et carcinose péritonéale**

GENERALITES

- Epanchement péritonéal non hématique :

Si HTP → Synthèse de NO → Vasodilatation → Stimulation SRAA / ADH → Rétention hydro sodée → Ascite

- 2 caractéristiques à rechercher à la ponction exploratrice :
  - Gradient d'albumine = albumine sérique - albumine ascite > 11g/L = Hypertension portale
  - Teneur en protéine de l'ascite :
    - > 25g/L = exsudat
    - < 25g/L = transsudat

ETIOLOGIES

	HTP présente	HTP Absente
Transsudat	• Bloc intra hépatique : - Cirrhose - Thrombose portale - Parasitose (bilharziose) • Bloc infra hépatique : - Thrombose portale (cancer)	• Avec anasarque : - Syndrome néphrotique - Insuffisance cardiaque - Dénutrition protéique - Entéropathie exsudative • Sans anasarque : - Hyperstimulation ovarienne - Sd Demons Meigs
Exsudat	• Bloc sus-hépatique : - Insuffisance Cardiaque droite - Syndrome Budd-Chiari	• Carcinose péritonéale • Ascite pancréatique / tuberculeuse • Mésothéliome péritonéal

CLINIQUE

- Interrogatoire :
  - ATCD → cirrhose / cancer / insuffisance cardiaque
  - Consommation → alcool / hépatotoxiques / médicaments
  - Anamnèse
  - Facteurs déclenchant

- Pour diagnostic positif :
  - Prise de poids
  - Palpation abdominale = volume et périmètre abdominal augmentés + matité +/- déclive
  - Signe du "glaçon" et signe du "flot"
- Rechercher de signes de complications
- Diagnostic différentiel :
  - Hémopéritoine
  - Obésité / Grossesse
  - Kyste ovarien / fibrome utérin / Globe vésical
  - Syndrome occlusif + météorisme

PARACLINIQUE

- Écho doppler abdominale :
  - Collection liquidienne anéchogène mobile
  - Epanchement du cul-de-sac de Douglas et de la région rétro hépatique
  - Orientation étiologique :
    - Cirrhose → foie dysmorphique / nodules de régénération
    - HTP → dilatation portale / SPM
    - Budd-Chiari → obstruction des veines sus-hépatiques
    - Autres → thrombose portale / dilatation VCI si ICD
- Ponction exploratrice du liquide d'ascite → systématique :
  - Mesures préalables :
    - Consentement, mesures d'asepsie, en pleine matité, niveau du 1/3 latéral gauche
    - CI si splénomégalie / pas de CI si troubles de l'hémostase
  - A visée diagnostique :
    - Biochimique → gradient d'albumine et concentration en protides +++
    - Cytologique → infection si PNN > 250/mm3 / carcinose si cellules malignes
    - Bactériologique → BK
  - A visée évacuatrice si dyspnée, ascite, ascite réfractaire, troubles cutanés :
    - Compensation volémique (macromolécule +/- albumine) si itérative ou > 3L évacués
    - Réduction + pansement compressif si hernie ombilicale
- Evaluation du retentissement :
  - Ionogramme, urée, créatinine (sanguin et urinaire) → insuffisance rénale
  - BU / protéinurie 24h → syndrome néphrotique
  - TP / facteur V / albumine → IHC
- Bilan selon orientation étiologique :
  - Cirrhose → PBH
  - Carcinose péritonéale → CA 125 / TDM TAP
  - Budd-Chiari ou thrombose porte → angio-TDM ou angio-IRM
  - Syndrome néphrotique → ECBU +/- PBR
  - Insuffisance cardiaque → ECG / ETT

COMPLICATIONS

- Infection du liquide d'ascite :
  - Antibioprophylaxie = Norfloxacine 400mg PO (IV si hémorragie digestive)

- Surveillance :
    - Ponction d'ascite de contrôle → objectif = diminution de 50% des PNN à 48H
    - Si échec = adaptation de l'ATB
- Complications :
    - Syndrome hépato-rénal = IRA
    - Sepsis

• <u>Ascite réfractaire :</u>
- Persistance ou récidive de l'ascite malgré un traitement diurétique optimal à la dose maximale tolérée (Aldactone® 300mg + Lasilix® 120mg) avec une bonne observance
- Traitement possible :
    - Transplantation hépatique
    - Si attente < 6 mois = ponction évacuatrice répétées + albumine
    - Si attente > 6 mois = TIPS

• <u>Complications métaboliques :</u>
- Hyponatrémie
- IRA fonctionnelle

• <u>Complications mécaniques :</u>
- Hernie ou rupture ombilicale + risque d'étranglement herniaire
- Dyspnée = trouble ventilatoire restrictif

TRAITEMENT

RHD	Symptomatique	Prophylactique
• Régime pauvre en sel • Sevrage OH	• Ponction évacuatrice • Traitement diurétique : - Anti aldostérone - +/- diurétique de l'anse	• ATB prophylaxie : - Norfloxacine® 400mg • Encéphalopathie hépatique : - Lactulose (duphalac®)

Traitement Etiologique
• Transplantation hépatique • Radio / chimiothérapie…

Surveillance
• Perte de poids • Survenue de complication • Liste de transplantation hépatique

Notes personnelles

CONSTIPATION

300

- **Diagnostic clinique → aucun examen complémentaire si pas de complication**
- **Primitive / secondaire / fonctionnelle**
- **Toujours évoquer un CCR**
- **TR systématique**
- **Signes d'alarmes = AEG / rectorragie → examens complémentaires**

GENERALITES

- Définition :
  - Diminution de la fréquence des selles et/ou difficultés à la défécation
  - Fréquence < 3 selles par semaine
  - Constipation chronique si > 6 mois
- Epidémiologie :
  - 30% de la population générale
  - Facteurs de risque :
    - Sexe féminin, âge avancé, patient noire
    - Régime sans résidu, prises médicamenteuses multiples, alitement/sédentarité
    - Faible niveau socio-économique, syndrome anxiodépressif, maltraitance, abus sexuel

ETIOLOGIES

- Constipations secondaires :
  - Iatrogènes = morphinique / ralentisseurs du transit (lopéramide)
  - Obstructives :
    - Tumorale = CCR / cancer anal
    - Par sténose = maladie de Crohn / colites
  - Neurologiques = Neuropathie végétative (= dysautonomie _ diabète) / maladie de Parkinson
  - Endocriniennes = Hypothyroïdie / hypercalcémie / hypokaliémie
  - Anales :
    - "Constipation réactionnelle" par appréhension de la douleur
    - Causes locales = fissures anales / hémorroïdes
- Constipations primitives :
  - Constipations distales = terminales = dyschésies :
    - Trouble de la statique pelvienne = prolapsus rectal / rectocèle
    - Fécalome
    - Anisme = dyssynergie abdomino-périnéale → parfois témoin d'abus sexuel
    - Mégarectum idiopathique (diamètre du rectum > 6.5 cm)
  - Constipations de progressions = de transit = d'inertie colique :
    - Diminution du péristaltisme colique, diminution de l'influx nerveux
    - Forme sévère = maladie de Hirschsprung
- Constipation fonctionnelle (la plus fréquente +++) = classification de Rome III (cf. chapitre)

CLINIQUE

- ATCD → diabète / dysthyroïdie / CCR / MICI
- Prises médicamenteuses / alimentation
- Anamnèse
- Signes fonctionnels :
  - Classification Rome III
  - Rechercher des signes associés :
    - Signes d'alarmes = AEG / rectorragie
    - Syndrome rectal = épreinte / ténesme / faux besoins
- Examen physique digestif :
  - Prise des constantes = poids +++
  - Examen des orifices herniaires + examen de la marge anale + TR
  - Examen du tonus anal / tonus abdominal
- Orientation étiologique :
  - Neurologique → examen neurologique complet
  - CCR → palpation des aires ganglionnaires (Troisier), recherche d'une masse et rectorragie
  - Hypothyroïdie → palpation de la thyroïde
- Signes de gravité à toujours rechercher :
  - Rectorragies, anémie, sang au TR
  - Amaigrissement, AEG
  - Constipation persistante et résistante

PARACLINIQUE

- Diagnostic clinique = AUCUN examen complémentaire sauf si :
  - Signes de gravité
  - Signes d'alarme
  - Orientation vers une origine secondaire
  - Constipation persistante malgré 6 mois de traitement

Bilan de 1ère intention → recherche de constipation secondaire
• Bilan biologique : - NFS → recherche anémie ferriprive + syndrome inflammatoire - CRP → syndrome inflammatoire - Glycémie → recherche d'un diabète - TSH → recherche d'hypothyroïdie - Ionogramme sanguin, créatininémie et calcémie → hypercalcémie / hypokaliémie • Iléo coloscopie totale + biopsies si : - Apparition après 50 ans - Signes d'alarme = AEG / rectorragies - FdR de CCR → dépistage
Bilan de 2nd intention si échec du traitement ou absence d'étiologie retrouvée → Recherche de constipation primitive
• Manométrie anorectale : - Mesure du tonus du sphincter anal / réflexe recto anal / épreuve d'expulsion - Si hypertonie au repos → rechercher fissure anale / anisme - Si absence de réflexe recto anal → maladie de Hirschsprung

• Temps de transit colique (TTC) :
- Ingestion de marqueurs radio opaques + ASP à J7 (transit normal = disparition des marqueurs)
- Inertie colique = stagnation colique diffuse des marqueurs
- Constipation terminale = accumulation recto-sigmoïdienne des marqueurs

• Rectographie (ou défécographie) +/- IRM dynamique :
- Opacification par hydrosolubles + radiographie pendant la défécation
- Etude = vacuité rectale, troubles de la statique pelvienne (rectocèle ou prolapsus)

COMPLICATIONS

- Dues aux efforts de poussées répétés :
  - Fissure anale, hémorroïdes, rectorragies
  - Prolapsus rectal, vésical, incontinence anale
  - Hernie inguinale (indirecte)
- Fécalome
- Fausse diarrhée du constipé

TRAITEMENT

- Ambulatoire
- Traitement non médicamenteux (en 1ère intention) :
  - Education du patient / arrêt des médicaments probablement en causes
  - Hygiène défécatoire
  - Mesures hygiéno-diététiques = régime riche en fibres, activité physique, hydratation correcte
  - Prise en charge psychologique si fonctionnelle
- Traitement médicamenteux :

TTT laxatifs			
Osmotique (1ère intention)	**Laxatif de lest**	**Emollient**	**Stimulant le péristaltisme**
• lactulose Duphalac® • Polyéthylène glycol = Forlax®	• Spagulax®	• Huile de paraffine = Lansoyl®	• Bisacodyl®

- Traitement étiologique si constipation primitive :
  - Technique de rééducation par biofeedback si :
    - Anisme
    - Dyssynergie ano-périnéale
  - Traitement chirurgical si :
    - Rectocèle / prolapsus rectal extériorisé
    - Maladie de Hirschsprung → colectomie + anastomose colorectale basse
- Surveillance clinique :
  - Observance des mesures hygiéno-diététiques, du traitement laxatif et détection des abus +++
  - Recherche de signes d'alarme = AEG / rectorragie

Notes personnelles

DIARRHEE AIGUË

302

- **Réhydratation + isolement entérique de contact**
- **Les contre-indications essentielles :**
    - **CI aux ralentisseurs du transit si retour de voyage ou syndrome dysentérique**
    - **CI aux antibiotiques ET aux ralentisseurs du transit si SHU**
- **Coproculture NON systématique**
- **Déclaration obligatoire :**
    - **ARS si TIAC / fièvre typhoïde / choléra**
    - **CLIN si infections nosocomiales (clostridium difficile)**
    - **Pharmacovigilance si diarrhée post antibiotique**

GENERALITES

- Diarrhée aiguë = > 3 selles liquides ou molles/jour depuis < 2 semaines
- Diarrhée chronique = > 3 selles liquides ou molles/jour depuis > 1 mois
- Epidémiologie :
    - Très fréquent = 5% de la population par an dont 40% d'origine virale
    - Potentiellement grave surtout chez l'enfant, l'immunodéprimé et les porteurs de cardiopathies
- Physiopathologie :
    - Germe entéro-toxinogène = sécrétion d'eau/électrolyte → Sd cholériforme = "sécrétoire"
    - Germe entéro-invasif = ulcération de la muqueuse → Sd dysentérique = "lésionnelle"

CLINIQUE

- Interrogatoire :
    - Enquête alimentaire, prise d'ATB récente, traitement en cours
    - Anamnèse
    - Voyage récent / Contage (contexte épidémique : TIAC)
    - Caractéristique de la diarrhée → cholériforme ou dysentérique
    - SF associés = fièvre, AEG, vomissements, douleurs, rectorragies, syndrome rectal
- Examen physique :
    - Prise des constantes
    - Examen abdominal :
        - Palpation = recherche d'une masse, d'une défense/contracture
        - TR = recherche de sang, d'une douleur
        - Orifices herniaires = syndrome occlusif sur hernie étranglée
    - Signes de gravité = Hospitalisation en urgence + bilan :
        - Terrain à risque
        - Déshydratation et/ou réhydratation orale impossible
        - Syndrome dysentérique (diarrhées sanglantes)
        - Sepsis +/- choc
        - TR douloureux
        - Météorisme ou défense à la palpation

Syndrome Cholériforme	Syndrome Dysentérique
• Mécanisme entéro-toxinique : - Diarrhées hydriques abondantes - Peu ou pas fébrile - Douleurs modérées - Vomissements fréquents • Complications : - Déshydratation rapide - Hyponatrémie / Hypokaliémie - Acidose métabolique	• Mécanisme entéro-invasif : - Diarrhées glairo-sanglantes - Fièvre franche +/- sepsis - Douleurs violentes, en cadre • Syndrome rectal : - Epreintes - Ténesme - Faux besoins • Complications : - Sepsis - Hémorragie digestive +/- péritonite

PARACLINIQUE

Bilan non nécessaire	Indications à un bilan
• Diarrhée cholériforme avec : - Absence de tares, état général normal - Absence de SdG - Durée < 3 jours • Diarrhée bénigne sous ATB : - Absence de fièvre - Argument de fréquence	• Retour de voyage • Syndrome dysentérique (= signe de gravité) • > 3 jours malgré traitement symptomatique • Diarrhée post antibiothérapie • TIAC • Origine nosocomiale • Présence de signes de gravité cliniques (6) • Hyper éosinophilie (éliminer une parasitose)

- Coprocultures :
  - Examen direct = recherche de leucocytes / hématie → Sd entéro-invasif
  - Mise en culture +/- milieu spécifique
  - Recherche des toxines A et B de clostridium difficile
- Examen parasitologique des selles (EPS) :
  - 3 prélèvements sur 10 jours
  - Examen direct sur selles fraîches
  - Systématique si diarrhée avec syndrome dysentérique, retour de voyage, infection à VIH
- Bilan du retentissement :
  - Hémocultures si fièvre
  - NFS et CRP → syndrome inflammatoire, déshydratation
  - Ionogramme sanguin, créatinine → hypokaliémie / hyponatrémie / acidose métabolique
  - TDM abdominale → si suspicion de complications
- Recto-sigmoïdoscopie :
  - Systématique si syndrome dysentérique ou post ATB
  - CI formelle si suspicion de perforation
  - Biopsies → examen bactériologique + anatomopathologique
  - Si négative = n'élimine pas le diagnostic → iléo coloscopie + biopsies pour confirmation

ETIOLOGIES

Diarrhées aiguës non infectieuses	
Post-ATB	**Autres**
• Dite bénigne aux antibiotiques • Clostridium Difficile (colite pseudo-membraneuse) • Klebsiella oxytoca (colite hémorragique)	• Médicamenteuse • Allergique • Saturnisme • Colite ischémique • Début de diarrhée chronique

Diarrhées aiguës Infectieuses		
Cholériforme	**Dysentérique**	**TIAC**
• Virale +++ : - Rotavirus / Entérovirus / Calcivirus / Adénovirus • Bactérienne : - Staphylocoque aureus - Vibrio cholérae • Parasitologique : - Giardiase - Cryptosporidiose	• CMV • Klebsiella oxytoca • Clostridium difficile • Amibes • Campylobacter jéjuni • Yersinia entérolitica • Shigella « **C**'est le **K**lebs **D**e mon **A**mi, **C**amp **Y** **S**hi **S**a **C**olle »	• Début < 6 heures : - Staphylocoque aureus (pâtisseries) - Clostridium botulinum (conserves) - Bacillus céreus (riz / purée) • Début entre 6 et 12 heures : - Clostridium perfringens (viandes)
• Salmonella non typhi • E. Coli : - Syndrome cholériforme : ▪ Entéro-toxinogène / E-pathogène - Syndrome dysentérique : ▪ E-hémorragique = SHU (O157H7) / E-invasive		• Début entre 12 et 24 heures : - Salmonella +++ (lait / œuf / poulet) - Rotavirus • Début > 24 heures : - E. Coli (bœuf mal cuit)

TRAITEMENT

- <u>Diarrhée sans signes de gravité :</u>
  - Traitement ambulatoire :
    - Repos + isolement entérique
    - Arrêt d'un traitement ATB éventuel
  - Traitement symptomatique :
    - Hydratation PO + réalimentation précoce par régime sans résidu + hygiène des mains
    - Antiémétique, antispasmodique, antalgique/antipyrétique
  - Traitement anti diarrhéique :
    - Anti sécrétoires = racécadotril (Tiorfan®) (100mg x4/jour)
    - Topiques absorbants = peu efficace (smecta®) (1sachet x3/jour)
    - Ralentisseurs du transit = lopéramide (Imodium®) (max = 8mg/j pdt 2jours)

- Antibiothérapie probabiliste (ciprofloxacine 5j + métronidazole 7j PO) si :
    - Terrain fragile, durée > 3 jr, coprocultures positifs
- Mesures associées = déclaration obligatoire à l'ARS / CLIN / pharmacovigilance
- Surveillance :
    - Education pour auto surveillance et consultation à J3 si pas d'amélioration

- <u>Diarrhées avec signes de gravité et/ou dysentérique :</u>
    - Hospitalisation en urgence systématique +++
        - Isolement entérique + hygiène des mains + VVP + repos au lit strict + mise à jeun
    - Traitement symptomatique :
        - Mesure de réanimation + remplissage + rééquilibration hydro électrolytique en IV
        - CI aux ralentisseurs du transit → colectasie / péritonite
    - Traitement étiologique = ATB :
        - Probabiliste, en urgence, après bilan, en IV, active sur BGN et anaérobies
        - Ciprofloxacine + métronidazole puis adaptation 2nd
    - Mesures associées = déclaration
    - Surveillance :
        - Clinique = hydratation, T°, TA, Fc, signes de sepsis
        - Paraclinique = NFS/plaquette, coprocultures de contrôle à la fin du traitement

COLITE PSEUDO-MEMBRANEUSE (CLOSTRIDIUM DIFFICILE)

- <u>Généralités :</u>
    - 1ère cause de diarrhée nosocomiale
    - Diarrhée post ATB = colite pseudo-membraneuse JPDC
    - Physiopathologie → destruction de la flore dig normale par l'ATB → prolifération de C. difficile
- <u>Diagnostic :</u>
    - Clinique :
        - Diarrhée post ATB jusqu'à 6 semaines, fièvre, douleur abdominale
        - Syndrome atypique = diarrhées verdâtres + glaires / NON sanglante
    - Paraclinique :
        - Coprocultures (ELISA) → toxines A et B
        - Recto-sigmoïdoscopie → "pseudo-membranes" = dépôts blanchâtres adhérents
    - Diagnostics différentiels :
        - Diarrhées liquidiennes bénignes post ATB
        - Colite hémorragique à klebsiella oxytoca (= Sd dysentérique typique)
- <u>Complications :</u>
    - Récidives (30%) → éducation aux ATB
    - Déshydratation / acidose métabolique
    - Translocation bactérienne = bactériémie = sepsis sévère
    - Iléus / colectasie / perforation / péritonite / rectorragies
- <u>Traitement :</u>
    - Mise en condition avec mesures d'hygiènes standard + mesures renforcées :
        - Chambre seul, isolement entérique, précautions de contact
        - Réhydratation et CI aux ralentisseurs du transit
    - Traitement étiologique :
        - Arrêt immédiat de l'ATB en cours → remplacement par flagyl® PO pendant 10 jr
    - Mesures associées :
        - Déclaration à la pharmacovigilance + CLIN si nosocomial

FIEVRE TYPHOÏDE

- Généralités :
  - BGN → salmonella typhi ou paratyphi
  - Transmission oro-fécale surtout en Asie / Afrique / Maghreb / Amérique du Sud
  - Lutte contre le péril fécal

Clinique	
• Incubation 1-3 semaines → patient asymptomatique	
1er septénaire (phase d'invasion)	**2ème septénaire (phase d'état)**
• Fièvre / frisson • Céphalées / Vertige • Epistaxis • Dissociation pouls/température • Douleurs abdominales	• Diarrhée cholériforme « jus de melon » • Tuphos = obnubilation / désorientation • Splénomégalie • Eruption roséoliforme basi-thoracique • Angine de Duguet

- Paraclinique :
  - Hémocultures + coprocultures (milieu spécifique)
  - NFS et CRP → Syndrome inflammatoire
  - Bilan hépatique → hépatite cytolytique
  - Sérodiagnostic de Widal et Félix (peu utile)
- Complications :
  - Digestives = péritonite, perforation, angiocholite, abcès (hépatique, pancréatique)
  - Hématogènes = ostéite, cholécystite
  - Toxiniques = myocardite, péricardite, méningite, coma, décès
- Traitement :
  - Hospitalisation en urgence
  - Mise en condition avec isolement entérique
  - Traitement Antibiothérapie :
    - Ciprofloxacine 500mg x2/j PO pendant 5J
    - Ou ceftriaxone IV pour 7J (enfant ou signes de gravité présents)
  - Traitement symptomatique :
    - Réhydratation IV par NaCl 0.9%
    - Antiémétiques, antispasmodiques, antalgiques et antipyrétiques
  - Mesures associées :
    - Déclaration obligatoire ARS
    - Education
    - Vaccination
  - Surveillance :
    - Clinique = TA, Fc, T°, conscience, transit, état d'hydratation
    - Paraclinique = coprocultures x 2 à 48h de la fin du traitement (guérison si négatives x 2)

DIARRHEE CHRONIQUE

303

- **Diagnostic clinique MAIS bilan étiologique systématique**
- **TFI = diagnostic d'élimination**
- **Coproculture inutile car les causes bactériennes donnent des diarrhées aiguës**
- **Renutrition / réhydratation**
- **Anatomopathologie de la maladie cœliaque à connaitre**

GENERALITES

- Définition = Selles molles ou liquides > 3 par jour pendant > 1 mois
- Physiopathologie :
  - Diarrhée chronique par malabsorption :
    - Malabsorption pré-entérocytaire = maldigestion
    - Malabsorption entérocytaire
    - Malabsorption post-entérocytaire = exsudative
  - Diarrhée chronique hydro électrolytique sans malabsorption :
    - Diarrhée motrice (accélération anormale du transit)
    - Diarrhée sécrétoire (hypersécrétion sur lésion)
    - Diarrhée osmotique

ETIOLOGIES

Diarrhée chronique sans malabsorption		
Motrice	**Sécrétoire**	**Osmotique**
• Fonctionnelle (TFI) • Endoc : - Hyperthyroïdie - CMT - Syndrome carcinoïde • Neurologique : - Dysautonomie (diabète) • Digestive : - Gastrectomie	• Colite microscopique ++ • Tumeurs endocrines : - Vipome - Zollinger Ellison (gastrinome) • Médicaments laxatifs irritants	• Prise de laxatifs osmotiques • Autres : - Chewing-gum - Soda light...
Diarrhée avec malabsorption		
Pré-entérocytaire	**Entérocytaire**	**Post-entérocytaire**
• Insuffisance pancréatique exocrine (stéatorrhée) • Cholestase chronique • Pullulation microbienne	• Maladie cœliaque • Maladie de Ménétrier • Maladie de Whipple • Syndrome du grêle court • Autres = MICI, parasitose	• Inflammatoire = Crohn / RCH • Entérocolite infectieuse • Entérocolite radique

- Diagnostics différentiels :
  - Fausse diarrhée du constipé
  - Incontinence anale

CLINIQUE

- Interrogatoire :
  - ATCD médicaux et chirurgicaux (pancréatite, résection digestive, diabète, MICI)
  - Anamnèse et caractéristique de la diarrhée
  - Prise médicamenteuse (laxatifs)
  - SF associés = amaigrissement, AEG, douleurs, flush, signes de thyrotoxicose
- Examen physique :
  - Prise des constantes
  - Examen abdominal = recherche d'une douleur, d'une masse, palpation des orifices herniaires
  - TR et examen de la marge anale
  - Pour le retentissement → déshydratation, dénutrition, syndrome carentiel
  - Pour l'orientation étiologique → thyrotoxicose, érythème noueux, aphtes

PARACLINIQUE

- AUCUN examen complémentaire pour le diagnostic positif de diarrhée chronique
- Evaluation du retentissement = Bilan carentiel si malabsorption :
  - EPP avec albumine / pré albumine → carence protéique
  - NFS + ferritinémie → anémie par carence martiale ou déficit en vitamines B9-B12
  - Ionogramme → carence K+ / Mg+
  - Bilan phosphocalcique +/- ostéodensitomètrie → carence calcique / Vit. D
  - TP/TCA → carence en Vit. K
- Diagnostic étiologique :
  - Bilan biologique de 1ère intention :
    - Glycémie → diabète
    - TSH → hyperthyroïdie
    - Examen parasitologique des selles si voyage → parasitose digestive
    - IgA anti-transglutaminase +/- IgA totales → Maladie cœliaque
    - Sérologie VIH avec accord si groupe à risque
  - FOGD + iléo-coloscopie :
    - Devant toute diarrhée chronique à réaliser pendant la même anesthésie
    - Biopsies → anatomopathologie
  - Echo/TDM abdominale si suspicion d'une pathologie biliaire ou pancréatique
- Examen fonctionnel des selles ("coprologie fonctionnelle") :
  - En 2nd intention si bilan biologique et imagerie négatifs :
    - Recueil des selles sur 3 jours successifs / en ambulatoire
    - Poids fécal (fécalograme) = diarrhée si poids > 250-300 g/j
    - Stéatorrhée = malabsorption si > 14 g/j
    - Trou osmotique fécal
- Selon le contexte :
  - Elastase-1 fécale → insuffisance pancréatique exocrine si abaissée
  - Test au rouge carmin → diarrhée motrice si selles colorées en moins de 8H
  - Clairance de l'α1-antitrypsine → entéropathie exsudative

ORIENTATION DIAGNOSTIQUE

- Diarrhée motrice :
  - Clinique :
    - Selles postprandiales précoces + aliments non digérés
    - Diarrhée peu abondante et cédant au jeun sans selles nocturnes
  - Paraclinique :
    - Test au rouge carmin → diagnostic positif si 1ère selles colorées < 8h
  - Traitement :
    - Symptomatique à type de ralentisseurs du transit +/- traitement étiologique si possible
  - Cas particulier du syndrome carcinoïde :
    - Diarrhée chronique motrice + flushs du visage
    - Signes cardiovasculaires = tachycardie, palpitation, hypo ou hypertension
    - Palpation abdominale + TR = recherche d'une masse abdominale
- Diarrhée sécrétoire :
  - Clinique = diarrhée abondante (> 500g/j) ne cédant pas au jeun
  - Paraclinique :
    - Ionogramme → acidose métabolique et hypokaliémie
    - Examen fonctionnel des selles = "trou osmotique" avec osmolarité < 50mOsm/kg
  - Colite microscopique (1ère cause de diarrhée sécrétoire) :
    - Femme > 50 ans + ATCD auto-immuns +/- iatrogène
    - Diagnostic par iléo-coloscopie + biopsies
    - Aspect macroscopique normal
    - Anapath = colite micro lymphocytaire avec épaississement basal et hyper lymphocytose
  - Prise cachée de laxatifs irritants (psy) = "mélanose colique" à la coloscopie
- Diarrhée osmotique :
  - Clinique = diarrhée aqueuse cédant au jeune
  - Paraclinique = ionogramme fécal → "trou osmotique" = osmolarité fécale > 125mOsm/kg
- Syndrome de malabsorption :
  - Syndromes carentiels :
    - Albumine → OMI +/- anasarque
    - Fer → anémie microcytaire arégénérative hypochrome + troubles cutanéo-phanériens
    - B9 / B12 → anémie macrocytaire arégénérative (mégaloblastose)
    - B1 / B6 → neuropathie / Syndrome de Gayet-Wernicke (B1)
    - Vitamine K → syndrome hémorragique → TP bas / facteur V normal
    - K^+ / Mg^{2+} → crampes
    - Ca^{2+} / vitamine D → ostéomalacie / crise de tétanie
  - Paraclinique :
    - Recueil des selles après surcharge en graisse (60g/j) pendant 3 jr
    - Malabsorption si stéatorrhée > 14 g/jr (maldigestion si 6-14 g/jr)
- Diarrhée exsudative = post-entérocytaire :
  - Clinique :
    - OMI +/- anasarque
  - Paraclinique :
    - EPP = hypo protidémie / hypo albuminémie
    - Clairance de l'α1-antitrypsine élevée (> 20mL/jr)
    - Endoscopie : iléo-coloscopie pour le diagnostic étiologique

MALADIE CŒLIAQUE

- Généralités :
  - Maladie auto-immune avec intolérance au gluten (céréales = blé / orge / seigle / avoine)
  - Argument de fréquence
- Examen clinique :
  - Terrain = association fréquente avec trisomie 21, syndrome de Turner, diabète T1
  - Signes digestifs type diarrhée chronique +/- Sd de malabsorption
  - Autres signes = altération de l'émail dentaire, dermatite herpétiforme
  - En pédiatrie :
    - Infléchissement pondéral puis statural et hypotrophie
    - Signes psychiques à type d'apathie ou troubles du comportement à rechercher
- Bilan immunologique :
  - 1) IgA anti-transglutaminase + IgA totales si anti-transglutaminase négatif
  - 2) IgG anti-endomysium si déficit en IgA ou anti-transglutaminase négatif
  - 3) Ac anti-gliadine (plus réalisé)
- Confirmation par FOGD + biopsie jéjunale si bilan immunologique positif +++ :
  - Macroscopique :
    - Atrophie villositaire totale
    - Aspect en mosaïque de la muqueuse duodéno-jéjunéale
    - Résolutive sous régime sans gluten au contrôle à 12 mois
  - Microscopique :
    - Atrophie villositaire
    - Infiltrat lymphocytaire du chorion
    - Hypertrophie cryptique
- Complications :
  - Syndrome de malabsorption = carence martiale, phosphocalcique et protéique
  - Maladies auto-immunes associées = diabète type 1, hypothyroïdie, dermatite herpétique
  - Complications inflammatoires = lymphome de MALT, maladie cœliaque réfractaire
- Traitement pluridisciplinaire et global :
  - Suivi nutritionnel + régime sans gluten A VIE → Test d'éviction = test diagnostique
  - Eviction des aliments avec gluten : seigle, blé, orge, avoine
  - Supplémentation des carences = fer, folates-B12, calcium, vitamine D
  - Mesures associées :
    - Information et éducation
    - Soutien psychologique et associations de malades
    - Projet d'accueil individualisé pour l'enfant
    - Pas reconnu comme ALD mais aides financières pour l'alimentation
  - Surveillance :
    - Clinique = poids, taille, troubles digestifs, courbe pondérale, observance
    - Négativation des anticorps à 6M
    - FOGD sous 12M : diminution de l'atrophie villositaire

DYSPHAGIE

308

- **Eliminer un corps étranger**
- **Toujours évoquer un cancer de l'œsophage**
- **Nasofibroscopie systématique**
- **Examen de référence = FOGD**
- **Fausse route → inhalation → pneumopathie → RTx**
- **Risque de dénutrition, à prendre en charge**
- **Remise en état bucco-dentaire**

GENERALITES

- Blocage ou gène à la progression des aliments
- Caractéristiques d'une dysphagie :
  - Haute (blocage au niveau du cou avec toux) ≠ basse (blocage rétro sternal)
  - Elective (sur les solides) ≠ paradoxale (sur les liquides)
  - Organique ≠ fonctionnelle
- Différent de :
  - Aphagie = impossibilité totale de déglutir
  - Odynophagie = douleur rétro sternale au passage des aliments

Dysphagies Organiques	Dysphagie Fonctionnelle
• = Lésion physique de l'œsophage • <u>Clinique :</u> - Dysphagie élective - Risque de dénutrition - Apparition progressive • <u>Paraclinique :</u> - Diagnostic par FOGD	• = Trouble moteur de l'œsophage • <u>Clinique :</u> - Dysphagie paradoxale - Absence de dénutrition - Evolution paroxystique • <u>Paraclinique :</u> - FOGD normale - Diagnostic par manométrie

ETIOLOGIES

Dysphagies Organiques	Dysphagie Fonctionnelle
• <u>Compressions extrinsèques :</u> - ADP / cancer pulmonaire / goitre • <u>Causes pariétales :</u> - Cancer de l'œsophage - Oesophagite (peptique / infectieuse / radique) - Diverticules de Zenker • <u>Etiologies intra-luminales :</u> - Sd de Kelly-Paterson / Anneau de Schatzki	• <u>Troubles moteurs primitifs :</u> - Achalasie - Maladie des spasmes diffus • <u>Troubles moteurs secondaires :</u> - Sclérodermie - Neuropathies

Examen Clinique

- Interrogatoire :
  - ATCD médicaux et chirurgicaux (RGO, cancer, radiothérapie, VIH…)
  - FdR de cancer ORL = intoxication alcoolo-tabagique
  - Anamnèse et caractéristique de la dysphagie
  - Recherche d'un facteur déclenchant
  - SF associés :
    - Dénutrition et AEG
    - Dysphonie / régurgitations / pyrosis
- Examen physique :
  - Prise des constantes dont poids → recherche d'une dénutrition, d'une AEG
  - Pour l'orientation étiologique :
    - Examen ORL et buccal = candidose / mobilité linguale / état dentaire
    - Examen cervical = palpation thyroïdienne / palpation des adénopathies
    - Examen neurologique = paires crâniennes
    - Nasofibroscopie = lésion visible / mobilité des cordes vocales / sensibilité laryngée
  - SdG en faveur d'un cancer :
    - Troubles de la déglutition, fausses routes (pneumopathies récidivantes)
    - Compression médiastinale = dysphonie, hoquet, dyspnée, syndrome cave supérieure
    - Aires ganglionnaires = ganglion de Troisier

Paraclinique

- Fibroscopie œsogastroduodénale :
  - Systématique et avec biopsies → cancer / œsophagite / diverticule / anneau
- Manométrie œsophagienne :
  - Systématique si FOGD normale = dysphagie fonctionnelle
  - Etude du SIO et du péristaltisme → troubles moteurs œsophagiens
- Autres examens selon le contexte :
  - TOGD = si diverticule ou sténose serrée empêchant la FOGD
  - TDM thoracique = si compression extrinsèque
  - Écho endoscopie = si lésion pariétale de petite taille
  - RTx = systématique si fausse route
- *Parfois nasofibroscopie considéré comme examen complémentaire*

Dysphagie organique : Orientation etiologique

- Compressions extrinsèques :
  - ADP médiastinales, goitre, cancer pulmonaire, anévrisme aortique…
  - FOGD → muqueuse normale mais refoulée → Faire un TDM thoracique
- Cancer de l'œsophage à évoquer systématiquement :
  - Terrain = Alcoolisme + tabac (épidermoïde) / ATCD de RGO avec EBO (adénocarcinome)
  - Signes associés = hypersialorrhée, régurgitations, odynophagie
  - Signes de malignité :
    - AEG / dénutrition / ADP
    - Signes de compression médiastinale = hoquet / dysphonie
  - Diagnostic positif → FOGD avec biopsies

- Oesophagites :
  - Œsophagite peptique = signes de RGO (endobrachyœsophage / muqueuse de barett)
  - Œsophagite infectieuse = candidosique → VIH / infections virales (HSV / CMV...)
  - Autres : œsophagite caustique / radique / médicamenteuse (bisphosphonates)...
  - Diagnostic positif → FOGD avec biopsie
- Diverticules de l'œsophage :
  - Diverticule de Zenker = jonction pharyngo-oesophagienne postérieure (= 1/3 sup) :
    - Clinique : dysphagie haute, régurgitations, haleine fétide
    - Diagnostic positif = TOGD → image d'addition au 1/3 supérieur
  - Diverticules 1/3 moyen ou inférieur (secondaires à un trouble moteur)
- Obstacles intra-luminaux :
  - Sd de Kelly-Paterson = dysphagie haute + anémie ferriprive +/- cancer bouche œsophage
  - Anneau de Schatzki = repli du bas œsophage + hernie hiatale +/- RGO

DYSPHAGIE FONCTIONNELLE : ORIENTATION ETIOLOGIQUE

- Achalasie du sphincter inférieur de l'œsophage :
  - Physiopathologie = Neuropathie idiopathique avec raréfaction du plexus d'Auerbach
  - Clinique = Dysphagie fonctionnelle intermittente + régurgitations + sujet âgé
  - Paraclinique :
    - EOGD = normale +/- "ressaut" au cardia
    - TOGD = sténose du bas œsophage et dilatation en amont
  - Confirmation diagnostique par manométrie :
    - Apéristaltisme + absence de relaxation du SIO + hypertonie de repos du SIO
  - Traitement :
    - Médical = myorelaxants, inhibiteurs calciques, dérivés nitrés, toxine botulique
    - Endoscopique = dilatation itérative par ballonnet
    - Chirurgical = myotomie extra muqueuse
  - Complications = carcinome épidermoïde / pneumopathies d'inhalations
- Maladie des spasmes diffus œsophagiens :
  - Clinique = dysphagie + régurgitations + douleurs thoraciques rétro sternales
  - Paraclinique :
    - TOGD = image "en pile d'assiette" (FOGD normale)
    - Manométrie = Contractions synchrones diffuses
    - Signes négatifs = pression du SIO au repos normale / péristaltisme normal (≠ achalasie)
- Sclérodermie :
  - Clinique = RGO +/- œsophagite peptique +/- CREST Sd
  - Manométrie = hypotonie sévère du SIO, péristaltisme diminué
- Neuropathies végétatives :
  - Neuropathie diabétique, amylose, myasthénie, séquelles d'AVC

TRAITEMENT

- Prise en charge nutritionnelle
- Rééducation et aide à l'alimentation
- +/- Chirurgie fonctionnelle (limiter les fausses routes)
- +/- Prise en charge palliative = gastrostomie +/- trachéostomie de protection des VADS

Notes personnelles

HEPATOMEGALIE / MASSE ABDOMINALE

- **Consommation d'alcool**
- **Examen essentiel :**
    - **Clinique = examen abdominal + TR**
    - **Paraclinique = échographie abdominale**
- **Masse abdominale = anévrysme de l'aorte abdominale JPDC**

GENERALITES

- Définition :
    - Hépatomégalie (HMG) = flèche hépatique > 12 cm sur la ligne médio claviculaire
        - Bord supérieur du foie → matité à la percussion
        - Bord inferieur → palpation

ETIOLOGIES

Hépatomégalie	
Anomalies échographiques focales	**Hépatomégalie homogène**
• Tumeurs malignes primitives = CHC • Tumeurs malignes secondaires = métastases • Tumeurs bénignes : - Adénome / angiome - Hyperplasie nodulaire focale (HNF) - Kyste hydatique / biliaire / polykystose • Infiltration tumorale = hémopathie : - Lymphome - Leucémie aiguë	• Cirrhose → alcoolique / biliaire primitive • Hépatite virale aiguë ou chronique • Stéatose hépatique → alcoolique / NASH • Cholestase → lithiase • Foie cardiaque • Pathologies de surcharge : - Maladie de Wilson - Hémochromatose - Amylose

Masse Abdominale		
Hypochondre droit	**Epigastre**	**Hypochondre gauche**
• Etiologie d'HPM • Hydrocholécyste : - Cholécystite - Cancer tête du pancréas • Colon droit : - Cancer colorectal - Crohn (pseudo-tumeur) • Gros rein droit : - Polykystose hépatorénal - Tumeur rénale - Hydronéphrose	• Estomac : - Adénocarcinome gastrique • Pancréas : - Pseudo kyste - Tumeur pancréatique • Anévrisme aorte abdominale	• Splénomégalie : - Hémopathie - Cirrhose - Hypertension portale • Colon gauche : - Cancer colorectal - Crohn (pseudo-tumeur) • Gros rein gauche : - Polykystose hépato-rénal - Tumeur rénale - Hydronéphrose

FID	Hypogastre	FIG
• Gynécologique : - Kyste ovarien - Cancer de l'ovaire droit • Rénale : - Ptose rénale droite	• Gynécologique : - Fibrome utérin - Kyste ovarien - Cancer ovaire / endomètre - Utérus gravide • Uro-digestive : - Fécalome - Globe urinaire	• Gynécologique : - Kyste ovarien - Cancer de l'ovaire droit • Rénale : - Ptose rénale gauche - Greffon rénal

CLINIQUE

- Interrogatoire :
  - ATCD d'hépatopathie, d'insuffisance cardiaque (IC), de lithiase, d'hémochromatose familiale
  - Prises médicamenteuses, alcoolisme, notion de voyage
  - Anamnèse
  - Signes fonctionnels :
    - Signes digestifs = douleur abdominale, vomissements, trouble du transit
    - Autres associés = fièvre, AEG, dyspnée, ictère
- Examen physique :
  - Prise des constantes
  - Caractéristique de l'HPM :
    - Bord inférieur → tranchant (cirrhose) ou mousse (stéatose / IC)
    - Face antérieure → régulière (stéatose / IC) ou irrégulière (cirrhose / cancer)
    - Consistance → molle (stéatose / IC) ou ferme (cirrhose) ou dure (cancer)
  - Caractériser la masse abdominale (topographie, taille, consistance, mobilité)
  - Signes associés = ADP, ictère, TR

PARACLINIQUE

- Systématique devant toute HPM
- Bilan biologique :
  - Bilan hépatique complet
  - Bilan d'hémostase
  - NFS/plaquette
  - Bilan lipidique, glycémie, albumine
- Echographie abdominale :
  - Systématique
  - Flèche hépatique, signes d'HTP, nodules, dilatation des voies biliaires, stéatose…
- Examens selon le contexte :
  - Aspect de cirrhose → sérologie des hépatites + PBH
  - Aspect de CHC → selon les critères de Barcelone = imagerie +/- α-FP +/- PBH
  - Si hémochromatose → ferritinémie + CST
- Si masse abdominale :
  - 1ère intention = échographie abdominale
  - 2nd intention = TDM abdomino-pelvienne

ORIENTATION DIAGNOSTIQUE

Hépatomégalie			
Etiologies	**Clinique**	**Echographie**	**Biologie**
Cirrhose	• HPM homogène • Ferme • Bord inférieur tranchant • Signes d'IHC • Signes d'HTP	• Lésion diffuses • Foie dysmorphique • Nodules de régénération • HTP	• Cytopénies • IHC : - Facteur V bas - Hypoalbuminémie
Hépatite virale aiguë	• Voyage • Toxicomanie IV • Phase : - Pré ictérique → ictère	• Foie normal	• Cytolyse > 10N • Sérologies virales
CHC	• Cirrhose connue • AEG • ADP (Troisier)	• Lésion focale unique • Critères de Barcelone	• α-FP • IHC
Métastases	• Cancer primitif connu • HPM irrégulière • Masse « dure »	• Lésions multiples	• CRP • Marqueurs spécifiques
Tumeurs bénignes	• Asymptomatique	• Lésion focale • Foie sain	• BHC normal
Kyste hydatiforme	• HPM • +/- Pesanteur • Longtemps asymptomatique	• Masse liquidienne - Hypo/anéchogène - +/- Multiples - +/- Calcifications	• Pas de ponction ! • Diagnostic sérologique
Abcès amibien	• HPM • Douleur de l'HCD • Fièvre élevée	• Masse liquidienne • Bien limitée • Hypo/anéchogène	• Sérologie pour confirmation • Ponction écho guidée = pus "chocolat"
Stéatose	• Diabète / HTA • Obésité androïde	• Foie hyperéchogène	• Dyslipidémie • Cholestase
Cholestase	• HPM molle • Bord infèrieur mousse • Ictère cholestatique	• Dilatation des voies biliaires	• Bilirubine augmentée
Insuffisance cardiaque	• HPM molle • Bord infèrieur mousse • Signes d'IC	• Dilatation des veines sus-hépatiques	• NT-proBNP augmenté • Cholestase modérée
Hémochro-matose	• HPM ferme • Atteintes fonctionnelles • Atteintes organiques	• Foie cirrhotique	• CST > 45% • Ferritinémie > 300

Notes personnelles

ICTERE

- **Examen de référence = échographie abdominale**
- **Bilirubine conjuguée = directe = hydrosoluble → élimination urinaire**
- **Bilirubine libre = indirecte = liposoluble → élimination dans les selles**
- **Ictère + prurit → origine cholestatique**

GENERALITES

- Il faut différencier :
  - Ictère à bilirubine conjuguée par défaut d'écoulement de la bile = cholestase :
    - Intra hépatique = IHC → voie biliaire non dilatée
    - Extra hépatique = obstruction des voie biliaires → voie biliaire dilatée
  - Ictère à bilirubine libre par défaut/saturation des systèmes de conjugaison hépatique
- Bilirubinémie normale < 17μM (<5μM conjuguée / <12μM libre) si > 40μM → ictère visible
- Diagnostics différentiels = hémochromatose et ISA (mélanodermie)

ETIOLOGIES

Ictère cholestatique (bilirubine conjuguée)	
Cholestase intra hépatique	**Cholestase extra hépatique**
• Foie normal : - Hépatite virale, médicamenteuse, alcoolique - Granulomatose - Grossesse • Foie pathologique : - Stéatose hépatique (alcoolique / NASH) - Cirrhose hépatique / biliaire primitive - CHC / métastases - Foie cardiaque - Hémochromatose / Wilson	• Causes extrinsèques : - Adénocarcinome pancréatique - Ampullome - Adénopathie (hémopathie / carcinose…) • Causes pariétales : - Cholangiocarcinome - Cholangite sclérosante primitive • Causes endoluminales : - Lithiase de la VBP - Parasitose (ascaris)

Ictère à bilirubine libre		
Hémolyse chronique	**Maladie de Gilbert**	**Maladie de Crigler-Najjar**
• Paludisme si voyage • Bilan d'hémolyse : - Haptoglobine effondré - LDH augmenté - Bilirubine augmenté	• Maladie bénigne / fréquente • Autosomique récessive • Défaut de conjugaison • Ictère majoré par le jeun • Traitement possible par inducteur enzymatique (phénobarbital)	• Autosomique récessive • Absence totale (Type 1) ou déficit (Type 2) de conjugaison • Traitement : - Greffe hépatique (T1) ou - Inducteur enzymatique (T2)

Orientation Clinique

- ATCD de cirrhose, d'hépatite, de lithiase biliaire
- Prises d'hépatotoxique (médicament, alcool)
- Anamnèse = voyage (paludisme) / phase pré ictérique (virale)
- Syndrome cholestatique → Ictère à bilirubine conjuguée :
  - Ictère, selles décolorées, urines foncées
  - Signes fonctionnels associés = prurit, douleur abdominale, AEG, fièvre
- Examen physique :
  - T°, poids, IMC, TA et Fc
  - Palpation abdominale → HPM / masse / grosse vésicule
  - Signes d'IHC = angiomes stellaires / érythrose palmaire / faetor / hémorragie digestive
  - Signes d'HTP = circulation veineuse collatérale / splénomégalie / ascite
  - Toucher rectal → recherche de nodules de carcinose, méléna, rectorragies
  - Recherche de complications

Paraclinique

- Diagnostic positif :
  - Bilan hépatique → Cholestase biologique :
    - Phosphatase alcaline > 4N
    - Bilirubine totale > 40μM
    - Bilan hépatique → ASAT/ALAT +/- augmenté et GGT augmentés
  - Dosage de la bilirubine conjuguée et libre :
    - Bilirubine conjuguée augmentée → ictère cholestatique
    - Bilirubine libre augmentée → ictère non cholestatique
- Bilan de 1ère intention si cholestase :
  - Echographie abdominale en 1ère intention systématique et en urgence :
    - Voies biliaires dilatées → cholestase extra hépatique
    - Voies biliaires non dilatées → cholestase intra hépatique
    - Rechercher une pathologie hépatique (cirrhose / tumeur)
  - NFS, VS, CRP → anémie, hyperleucocytose, syndrome inflammatoire
  - Bilan d'hémostase = TP + facteur V → IHC (TP bas + facteur V normal)
  - EPP → recherche d'un bloc β - γ en faveur d'une hépatopathies (virales +++)
  - Sérologies des hépatites virales : VHA / VHB / VHC +/- D si VHB+
  - Sérologie VIH, EBV, CMV
- Bilan de 2nd intention :
  - TDM abdominale si dilatation des VB sans obstacle retrouvé
  - Cholangio-IRM si cholestase extra hépatique
  - Echo-endoscopie +/- CPRE pour étude de la voie biliaire principale et du pancréas
  - Dosage des Ac anti-ML et anti-LKM1 pour hépatites auto-immunes

Complications

- Prurit dû à l'accumulation d'acides biliaires 2nd à la cholestase
- Troubles du cycle entéro-hépatique :
  - Malabsorption des graisses → carence vitaminique « ADEK », stéatorrhée, dénutrition
  - Défaut d'élimination du cholestérol → hypercholestérolémie + xanthélasma (dépôts cutanée)

VOMISSEMENTS

345

- **Posologies à connaitre**
- **Différencier vomissements aigus (< 7 jours) et chroniques (> 7 jours)**
- **Toujours éliminer :**
  - **Occlusion intestinale (orifices herniaires +++)**
  - **Grossesse (dosage β-HCG)**

GENERALITES

- Vomissement = expulsion active par la bouche du contenu gastrique avec efforts/contractions
- Différent des régurgitations = pas d'effort de vomissement ni de nausées

Facteurs déclenchants = odeur / vue / réflexe → Nerfs vague/phrénique/rachidiens → Contraction = vomissement → Stimulation du SNA → Signes végétatifs = nausée / pâleur / sueur

ETIOLOGIES

Vomissements Aigus				
Digestives	**Neurologiques**	**Métaboliques**	**Iatrogènes / toxiques**	**Autres**
• Gastro-entérite aiguë • Syndrome occlusif • Appendicite aiguë • Péritonite aiguë • Pancréatite aiguë • Colique hépatique	• Méningite • HTIC : - HED / HSD - Tumeur • Syndrome vestibulaire	• Acidose métabolique • Hypercalcémie • IRA • ISA	• Chimio • Anesthésie • OH	• IdM • Grossesse

Vomissements Chroniques		
Obstructives	**Fonctionnelles**	**Autres**
• Obstacles gastroduodénaux : - Sténose d'un UGD - Adénocarcinome gastrique, duodénal, pancréas - Compression extrinsèque (cancer du pancréas) • Sténose chronique du grêle : - MICI (Maladie de Crohn +++) / Bride - Compression extrinsèque - Carcinose péritonéale - Adénocarcinome du grêle / lymphome	• Gastroparésie • Pseudo obstructions chroniques du grêle (POIC)	• Grossesse • HTIC • Chimio • Psychiatrique

ORIENTATION CLINIQUE

- Interrogatoire :
  - ATCD médicaux et chirurgicaux (chirurgie digestive, diabète, FdR CV)
  - Prises médicamenteuses, alcoolisme
  - DDR si une femme
  - Anamnèse
  - Caractériser les vomissements (date de début / fréquence / horaire / contenu)
  - SF associés :
    - Signes digestifs = douleur abdominale, troubles du transit, météorisme, ictère
    - Signes neurologiques = céphalées, troubles de la conscience
    - Douleur thoracique (IdM) +++
- Pour orientation étiologique :
  - Palpation abdominale = recherche d'une douleur, défense/contracture, d'une masse, ascite
  - Syndrome occlusif = arrêt du transit, météorisme
  - Orifices herniaires + TR
  - Examen neurologique :
    - Syndrome méningé et/ou d'HTIC et/ou vestibulaire
    - Signes de glaucome aigu
- Pour évaluation du retentissement :
  - Signes de déshydratation
  - Troubles de la conscience
  - Signes de dénutrition

PARACLINIQUE

- Evaluation du retentissement :
  - Toujours rechercher une déshydratation :
    - NFS → hémoconcentration +/- anémie (Mallory Weiss)
    - Bilan rénal = Iono-urée-créatinine → alcalose / hypokaliémie / IRA fonctionnelle
  - Selon la clinique :
    - RTx si fièvre → pneumopathie d'inhalation
    - FOGD si hématémèse

Bilan d'orientation pour les vomissements aigus				
Digestives	**Neurologiques**	**Métaboliques**	**Iatrogènes / toxiques**	**Autres**
• Bilan hépatique • Lipasémie • NFS et CRP • Echo abdo / TDM	• PL (sd méningé) • TDM cérébrale	• Glycémie • BU • Ionogramme • Calcémie	• OH • Toxiques urinaires	• βHCG • ECG • Troponine

- Bilan d'orientation devant des vomissements chroniques :
  - Origine grêlique = entéroscanner ou transit du grêle
  - Origine gastroduodénal = FOGD

COMPLICATIONS

- Troubles hydro électrolytiques :
  - Déshydratation extracellulaire avec hypovolémie, hypotension et IRA fonctionnelle
  - Alcalose métabolique, hypokaliémie, hypochlorémie
- Pneumopathie d'inhalation = Syndrome de Mendelson (lobe inférieur droit, germes anaérobies)
- Syndrome de Mallory Weiss (apparition d'hématémèse)
- Rupture de l'œsophage (syndrome de Boerhaave) :
  - Douleur thoracique + dyspnée
  - RTx ou TDM→ pneumomédiastin
- Autre = œsophagite peptique / dénutrition / déséquilibre du traitement (voie PO impossible)

TRAITEMENT

- Indications de l'hospitalisation :
  - Déshydratation majeure
  - Echec du Tt antiémétique et/ou impossibilité de prise médicamenteuse PO
  - Patient diabétique (risque d'hypoglycémie / d'acidocétose)
  - Etiologie nécessitant une hospitalisation (occlusion, appendicite)
- Traitement symptomatique :
  - A jeun + SNG + VVP
  - Prévention de l'ulcère de stress et du reflux sur SNG = IPP
  - Réhydratation + rééquilibration hydro électrolytique + supplémentation potassique

Traitement antiémétique classique (1ère intention)		
Dompéridone	**Métoclopramide**	**Métopimazine**
• Motilium® • 10 mg x3/24h PO	• Primperan® • 10 mg x3/24h PO ou IV	• Vogalène® • 15-30 mg/j PO ou 10-20 mg/J IV

Prévention des vomissements sous chimio TT		
Anticipatoire	**Aiguë (< 24h)**	**Tardif (> 24h)**
• Benzodiazépine : - Diazépam (Valium®) - 10 mg x3/j • +/- Antihistaminiques : - Hydroxyzyne (Atarax®)	• Corticothérapie : - 40 mg/j PO ou 1 mg/kg/j IV • Odansetron (zophren®) : - 8 mg x3/j PO • Aprépitant (antiNK1) : - 125 mg/j PO	• Corticothérapie : - 40 mg/j PO ou 1 mg/kg/j IV • Aprépitant (antiNK1) : - 80 mg/j PO

- Traitement étiologique :
  - Antibiothérapie si méningite
  - Traitement chirurgical si appendicite ou occlusion digestive
  - Hydrocortisone si ISA / bisphosphonate si hypercalcémie / insuline si acidocétose…
- Surveillance uniquement clinique :
  - Efficacité = arrêt des vomissements, disparition des signes de déshydratation
  - Tolérance = syndrome extrapyramidal, inhalation

Notes personnelles

Comprendre

Abréviations

ABREVIATIONS	DETAILS
AAA	Anévrysme de l'aorte abdominale
ADO	Antidiabétiques oraux
ADP	Adénopathie
AEG	Altération de l'état général
ATCD	Antécédents
ATB	Antibiotique / Antibiothérapie
ARS	Agence Régionale de Santé
AZT	Azidothymidine
BDC	Bruit du cœur
BGN	Bacille GRAM négatif
BHC	Bilan hépatocellulaire
BPCO	Broncho-pneumopathie chronique obstructive
BZD	Benzodiazépine
CAT	Conduite à tenir
CBH	Claude-Bernard-Horner
CCR	Cancer colorectal
CCA	Chondrocalcinose articulaire
CHC	Cancer hépatocellulaire
CIVD	Coagulation intra vasculaire disséminée
CLIN	Comité de lutte contre les infections nosocomiales
CMT	Cancer médullaire de la thyroïde
CPRE	Cholangio-pancréatographie rétrograde endoscopique
CST	Coefficient de saturation de la transferrine
CV	Charge virale
DPC	Duodéno-pancréatectomie céphalique
DT	Delirium tremens
EAL	Evaluation des anomalies lipidiques = TG + HDL + HDL + CT
EBO	Endo-brachy-œsophage
EDTSA	Echographie doppler des troncs supra aortiques
EOGD	Endoscopie œsogastroduodénale = FOGD
EPP	Electrophorèse des protéines plasmatiques
FdR	Facteurs de risques
FDRCV	Facteurs de risques cardio-vasculaires
FID / G	Fosse iliaque droite / gauche
FO	Fond d'œil
GAJ	Glycémie à jeun
GEU	Grossesse extra-utérine

HAA	Hépatite aiguë alcoolique
HCD / G	Hypochondre droit / gauche
HD	Hémodynamique
HNPCC	Hereditary non polyposis cancer colorectal
HP	Helicobacter Pylori
HSM	Hépato-spléno-mégalie
HTP	Hypertension portale
ICD/G	Insuffisance cardiaque droite / gauche
ID	Immunodépression
IDM	Infarctus du myocarde
IHC	Insuffisance hépatocellulaire
IMC	Indice masse corporelle (poids/taille^2)
IRA	Insuffisance rénale aiguë
IS	Immunosuppresseur
IST / MST	Infection / maladie sexuellement transmissible
JPDC	Jusqu'à preuve du contraire
LIEBG	Lésion intra épithéliale de bas grade
LIEHG	Lésion intra épithéliale de haut grade
MICI	Maladie inflammatoire chronique de l'intestin (= RCH + Crohn)
NASH	Non alcoolique stéatose hépatique
NHA	Niveau hydro-aérique
NPO	Ne pas oublier
NRL	Neuroleptique
OA	Ostéo-articulaire
OMI	œdème des membres inferieurs
PA	Phosphatase alcaline
PAF	Polypose adénomateuse familiale
PBR / H	Ponction biopsie rénale / hépatique
PCC	Pancréatite chronique calcifiante
PI	Primo-infection
PLS	Position latérale de sécurité
PNA	Pyélonéphrite aiguë
PPS	Projet personnalisé de soins
RAD	Retour à domicile
RCP	Réunion de concertation pluridisciplinaire
RHD	Règles hygiéno-diététique
RTx	Radiographie thoracique
SAT/VAT	Sérologie antitétanique / Vaccination antitétanique
SB	Si besoin
SdG	Signes de gravité
SIO	Sphincter inferieur œsophagien
SFU	Signes fonctionnels urinaires
SF	Signes fonctionnels
SG	Signes généraux